O livro que
você gostaria
que todas as
pessoas que
você ama
lessem

Philippa Perry

O livro que você gostaria que todas as pessoas que você ama lessem

(e talvez algumas que você não ame)

TRADUÇÃO Guilherme Miranda

Copyright © 2023 by Philippa Perry

O selo Fontanar foi licenciado para a Editora Schwarcz S.A.

Grafia atualizada segundo o Acordo Ortográfico da Língua Portuguesa de 1990, que entrou em vigor no Brasil em 2009.

TÍTULO ORIGINAL The Book You Want Everyone You Love* to Read
*(And Maybe a Few You Don't)

CAPA Ceara Elliott

PREPARAÇÃO Silvia Massimini Felix

REVISÃO Marise Leal e Juliana Cury

Dados Internacionais de Catalogação na Publicação (CIP)
(Câmara Brasileira do Livro, SP, Brasil)

Perry, Philippa
  O livro que você gostaria que todas as pessoas que você ama lessem (e talvez algumas que você não ame) / Philippa Perry ; tradução Guilherme Miranda. — 1ª ed. — São Paulo : Fontanar, 2024.

  Título original : The Book You Want Everyone You Love* to Read *(And Maybe a Few You Don't).
  ISBN 978-65-84954-36-6

  1. Conflitos interpessoais 2. Relações interpessoais I. Título.

23-171344   CDD-158.2

Índice para catálogo sistemático:
1. Relações interpessoais : Psicologia aplicada   158.2

Cibele Maria Dias – Bibliotecária – CRB-8/9427

Todos os direitos desta edição reservados à
EDITORA SCHWARCZ S.A.
Rua Bandeira Paulista, 702, cj. 32
04532-002 — São Paulo — SP
Telefone: (11) 3707-3500
facebook.com/Fontanar.br
instagram.com/editorafontanar

*Este livro é dedicado a todas as pessoas que
tiveram coragem de escrever para mim no* Observer

Sumário

Introdução 9

1. Como amamos 15
   Construindo conexões fortes e significativas com os outros e consigo mesmo
   Por que desejamos conexão 16
   Às vezes, relacionamentos parecem difíceis 22
   Como formamos laços 27
   Duas formas diferentes de ser amigo 31
   O mito do perfeito 34
   O medo do eterno 38
   Obsessão não é amor 40
   Relacionamento é mais do que sexo 43
   O poder da entrega 47
   Mantendo um forte senso de individualidade 53

2. Como discutimos 59
   Lidando com conflitos em nossa vida pessoal e profissional
   Discussão 1: Pensar, sentir, fazer 60
   Discussão 2: Não sou eu, é você 64
   Discussão 3: Mocinho contra bandido 68

Discussão 4: Fatos contra sentimentos 74
Discussão 5: O triângulo do drama de Karpman ... 77
Discussão 6: Evitação de conflitos 82
Discussão 7: Quando o impulso toma conta 87
Busque a assertividade 91
Câmbio e desligo 94
Ruptura e reparação 97

3. Como mudamos 104
Encarando o novo, por bem ou por mal
Como desempacar 105
A mudança pode ser libertadora 111
Como mudar velhos hábitos 117
Com a mudança, vem a perda 123
Aceitando o envelhecimento 130
Lidando com o luto 136

4. Como encontramos contentamento 142
Descobrindo paz interior, plenitude e sentido
Administrando o estresse e a ansiedade 143
Superando seu crítico interior 149
Bode expiatório 155
Como processar o trauma 163
Encontrando realização 169
Nossa busca por sentido 175

Epílogo 187

Agradecimentos 191
Índice remissivo 193

Introdução

Trabalho como psicoterapeuta há muitos anos e sempre achei uma pena que os profissionais da área costumem falar sobre teorias apenas entre si, a portas fechadas. Fico muito entusiasmada quando penso em como esses princípios podem ajudar as pessoas. A partir de todos os dilemas e perguntas que me enviam, formo um retrato do que as pessoas querem saber sobre como levar a vida e tento imaginar algumas respostas. Minha missão é trazer esses conceitos e ideias para o resto do mundo e, em minha escrita, busco compartilhar esse conhecimento em fatias digeríveis, na esperança de que mais pessoas possam se beneficiar com isso.

Este livro é uma culminância de muitas das respostas a perguntas que as pessoas me fizeram ao longo dos anos em meu trabalho como terapeuta e conselheira, em palestras, eventos e interações cotidianas. Adoro essas perguntas porque, a partir delas, descubro onde se localizam as lacunas das pessoas. Embora cada um seja único, e embora as questões que escuto normalmente sejam muito específicas, vejo que há padrões e semelhanças nessas lacunas, e podemos aplicar parte do conhecimento e das técnicas mais gerais a elas. Cada pergunta me ensinou algo; talvez eu tenha ajudado você, em alguma ocasião, a ter um momento de descoberta.

Na infância, desenvolvemos sistemas de crenças e adaptações que nos ajudam a lidar com nosso ambiente. Muitas vezes, não conseguimos nem ter consciência de que estamos agindo a partir desses sistemas, tomando decisões e tratando as pessoas de acordo com essas formas iniciais de ver o mundo. À medida que vamos ficando mais velhos, encontrando pessoas novas e tendo mais experiências, os sistemas de crenças e as respostas podem não nos servir mais como serviam quando éramos pequenos e, em vez disso, nos deixam presos a velhos padrões de pensamento e comportamento. Minha esperança com este livro é ajudar você a entender suas adaptações e seus sistemas de crenças da infância e ter mais consciência de como eles estão sendo úteis e em que ponto precisam ser atualizados. Autoconsciência é como saber onde você está num mapa: se não conhecer seu ponto de partida, não vai ter como descobrir como chegar aonde quer. É importante aprendermos como reagimos ao mundo, como ficamos zangados, como fazemos suposições sobre outras pessoas e como falamos com nós mesmos porque, sem saber o que estamos fazendo e de que modo, não sabemos do que precisamos para mudar.

Quando as pessoas vêm à terapia pela primeira vez, é comum que só queiram falar sobre os outros. O que digo é que não temos como fazer nada a respeito dos outros, mas temos o poder de agir sobre nós mesmos. Muitos de nós não entendem que temos esse poder: somos capazes de mudar a forma de reagir e responder. Podemos mudar nossas prioridades, nossos sistemas de crenças, nossas respostas habituais. A mudança leva tempo e novos hábitos demoram a se formar. Mas é possível fazer experimentos com a mudança sabendo que temos muito mais poder sobre nossa vida do que imaginamos. Em particular, temos poder sobre nossa mente e aonde queremos que ela vá. Mesmo quando sabemos que estamos mais fracos, ainda temos a capacidade de escolher como pensar, como organizar nosso corpo e como nos relacionar com os outros. Organizar o corpo é ter a consciência de onde ele está acumulando tensão ou onde pode estar em crise. Por exemplo, se você tem consciência de seu maxilar, os músculos dessa região estão relaxados ou tensos? Se passa a consciência para a respiração, ela se torna mais profunda ou mais superficial?

Às vezes, nos fazemos as perguntas erradas. Estamos sempre nos perguntando "Por quê?"; afinal, somos seres criadores de sentido e ansiamos por narrativas. "Por que fulano terminou comigo?" "Por que meu filho está se comportando mal?" "Por que me sinto tão infeliz?" A carga emocional está toda envolvida em *por quê* — pois amamos histórias e adoramos explicações. Mas se perguntar *por quê* não costuma ser muito útil; a solução normalmente está em *como*. Estou interessada em *como* você está se fazendo sentir o que está sentindo: como você ama, discute, muda e encontra satisfação. É por isso que este livro é estruturado em quatro seções de "Como". Elas são independentes e é possível pensar em cada uma delas como partes individuais, mas estão todas interconectadas.

Ser psicoterapeuta me ensinou que as pessoas crescem a seu próprio modo e em seu próprio tempo, num ambiente no qual podem ser elas mesmas e onde têm permissão de experimentar com quem *podem* ser elas mesmas — e não com uma pessoa, mesmo que sejam elas próprias, lhes dizendo quem elas *deveriam* ser. Portanto, minha abordagem é nessa linha. Minha definição de bom conselho é ter alguém que ponha em palavras algo que você sempre soube mas ainda não articulou. Ninguém está sempre certo. Eu não estou sempre certa. E, se encontrar alguém que pense que está, soe o alarme, pois aqueles que estão sempre certos acabam precisando nos tornar os sempre errados — e esse não é um bom lugar.

Se eu tivesse que dar um conselho inicial, seria o da pioneira da autoajuda, a dra. Susan Jeffers: "Você é bom o bastante exatamente como é, e você é um ser humano poderoso e amoroso que está aprendendo e crescendo a cada passo do caminho". Em outras palavras, você é aceitável exatamente como é agora. Quando as coisas dão certo para nós, podemos não saber como estão funcionando, e pode ser útil saber isso também. Às vezes somos muito duros com nós mesmos. Isso não é raro. Toda semana me dizem: "Não sou bom em relacionamentos", "Sou um péssimo amigo", "Não sou uma pessoa inteligente", "Sou tímido demais", entre outras coisas. Não precisamos nos julgar dessa forma. Sim, todos cometemos erros, mas nós não somos nossos erros. Aprendemos com eles para poder cometer erros novos. Temos uma fantasia do que queremos e precisamos e, quando atingimos nosso sonho, é possível que a realidade nos ensine que foi um erro. Então corrigimos esse erro e aprendemos com ele, e depois partimos para a próxima decisão; isso funciona por um período até que, passado um tempo, precisamos fazer outro ajuste. Só acaba quando termina e, até lá, podemos continuar torcendo, continuar tentando e continuar experimentando. Quando fazemos um julgamento fechado sobre nós mesmos, quando metaforicamente vestimos a toga preta e batemos o martelo e nos condenamos, não estamos fazendo nada de bom a nós nem aos outros. Cancelar o julgamento é quase sempre uma boa ideia. Todos temos muito em comum. Somos seres humanos vulneráveis precisando aprender que há mais força em assumir nossa vulnerabilidade do que em nos apegar a uma máscara superficial de falsa força.

Por fim, espero que você leia este livro para se divertir com ele. Pode parecer trivial, mas se divertir deve ser uma prioridade. Se, além de divertir, ele fizer sentido e você pensar "SIM" e as peças se encaixarem, mesmo que apenas um pouco, então ótimo. Obviamente, é o que espero. Mas sua experiência vai dizer se fui bem-sucedida ou não.

1. Como amamos

Construindo conexões fortes e significativas com os outros e consigo mesmo

Na sociedade ocidental, passamos a acreditar que é importante ser independente. Histórias de empreendedores autodidatas e estereótipos da "mulher independente" estão por toda parte. Mas acredito que nunca somos autossuficientes de verdade: dependemos de outras pessoas para praticamente todos os aspectos da vida, desde colher nossa comida e levá-la aos mercados até nos proporcionar água corrente e construir as casas que habitamos. É um construto falso crer que existe uma independência completa. E, assim como precisamos de outras pessoas para nos proporcionar água potável, também precisamos de outras pessoas para ter companhia — mesmo que alguns tentem se convencer de que não têm essa necessidade.

Como humanos, ao contrário de alguns outros animais, não nascemos completamente desenvolvidos. Nos desenvolvemos pelo relacionamento com nossos primeiros cuidadores — nosso ego, nossa identidade, nossas necessidades e nossos traços de personalidade são moldados com base em como fomos cuidados. Nas palavras do psicanalista e pediatra Donald Winnicott: "Não existe essa coisa chamada bebê, o bebê é sempre ele mais a mãe". Isso nos torna criaturas que precisam de conexão durante toda a vida para sentir que somos parte do mundo como um todo. Em geral, essa conexão é com pessoas, mas também podemos nos conectar com ideias, lugares e objetos.

Quando penso em meus pacientes do passado, qualquer que fosse a questão que apresentavam, constato que a origem quase sempre estava fundamentada nos relacionamentos: como seus relacionamentos do passado haviam afetado seus sistemas de crenças ou suas relações com eles próprios, ou como estavam aprisionados em suas relações com os outros. Decidi começar este livro falando sobre a forma como nos conectamos porque esse é o aspecto mais importante da nossa vida. Quando estão morrendo, as pessoas dizem que a coisa mais importante que lhes resta são seus relacionamentos.

Como somos complexos e viemos de culturas ligeiramente diferentes — nisso incluo hábitos em geral, dinâmicas familiares, línguas, formas de fazer as coisas —, os relacionamentos podem ser complicados. Todos temos sistemas de crenças diferentes e formas distintas de cooperar uns com os outros. Encontrar um caminho para que seus relacionamentos funcionem tanto para você como para as pessoas ao seu redor pode ser essencial, mas definitivamente não é simples. É com isso que espero que este capítulo ajude.

POR QUE DESEJAMOS CONEXÃO

Sentir-se conectado com os outros faz parte de ser humano. Precisamos de conexão não apenas com outras pessoas, mas também com ideias, objetos e com o ambiente. Queremos sentir que somos parte de algo — quer isso venha de discussões profundas, conversas com desconhecidos no ponto de ônibus, leituras ou algo a que assistimos na televisão. É um pouco por isso que somos viciados no celular: ele nos dá uma sensação de conexão que libera níveis baixos de dopamina, o hormônio do bem-estar.

No entanto, se o único tipo de conexão que temos é por meio de uma tela, há uma chance de começarmos a nos sentir deprimidos, pois necessitamos de formas mais ativas de conexão, em que haja um impacto mútuo entre nós e o outro. Se não tivermos conexões suficientes, nossa saúde mental sofre. Queremos pessoas em nossa vida que nos proporcionem bem-estar, e precisamos de quem apoie nossa visão atual de nós mesmos para afirmar nossa identidade. A conexão é importante pois as pessoas são como espelhos em que nos vemos. A forma como os outros respondem a nós atua feito um sistema de freios e contrapesos para nossa saúde mental.

No entanto, também existe um perigo em ficarmos conectados demais. É como se o corpo humano fosse coberto de ganchos. Se não tivermos nenhum gancho exposto, não há como ninguém se conectar conosco e não temos como nos conectar com ninguém, o que nos leva ao isolamento e à solidão. Só que, se *todos* os nossos ganchos estiverem expostos, ficamos conectados com tudo ao mesmo tempo, e essas conexões individuais deixam de ter significado ou relevância. Vamos pulando de pessoa em pessoa, de ideia em ideia, e sofremos para nos apegar a alguém de maneira significativa. Se você se conecta com tudo, acaba descobrindo, mais cedo ou mais tarde, que não está se conectando a nada. Todo mundo conhece alguém disperso cuja atenção está por toda parte, que é cansativo de acompanhar ou com quem é difícil interagir direito porque sempre dá a impressão de que não tem foco em nada. Isso é o que se chama de comportamento maníaco. Não há problema em ser maníaco às vezes — e, para muitos, essa pode ser uma via para a criatividade —, mas é um estado insustentável no longo prazo.

Assim como em muitas coisas, existe um equilíbrio a ser encontrado. Se deixarmos alguns ganchos expostos — não todos, mas alguns —, podemos nos enganchar em alguém de quem gostamos e por quem nos interessamos e encontrar um sentido nisso. Usamos nosso tempo livre para fazer o que achamos bom, nos abrirmos para a entrada de gente nova e avaliar com calma seus valores e se eles se alinham aos nossos. É uma ótima ideia ter pessoas ao nosso redor que nos tragam sentimentos positivos sobre nós mesmos. Pessoas que, se nos desafiam, fazem isso de uma forma que nos dá autoconfiança, e não nos deixe nos sentindo mal, e que estejam ao nosso lado.

> **SABEDORIA DO DIA A DIA**
>
> Todos precisam sentir que pertencem, talvez a uma família, a um projeto, a uma comunidade ou a outra pessoa. Somos criaturas de conexão, e negar isso é se pôr em risco.

Em qualquer grupo de pessoas — qualquer escola, ambiente de trabalho, turma de amigos ou família grande —, naturalmente se formam subgrupos. Isso não é ruim nem bom, é apenas um comportamento humano natural. Aproximar-se de uma ou mais pessoas significa formar um subgrupo, e encontrar um lugar dentro de um grupo contribui para nossa sensação de identidade e pertencimento. A dinâmica de grupo serve não apenas para nos integrarmos àqueles ao nosso redor e com isso desenvolver uma noção de quem *somos*, mas também para nos contrastarmos com os de fora para determinar quem *não* somos.

É por isso que ser parte de grupos é tão importante, e por que pode ser tão duro nos sentirmos deixados de lado. Uma mulher me escreveu dizendo que estava com dificuldade de encontrar esse equilíbrio e não conseguia estabelecer laços com pessoas além do marido e do filho, e dos amigos que seu marido havia feito.

Sou uma mãe de 32 anos de um bebê sorridente. Eu o amo e estou aproveitando ao máximo a licença-maternidade. Meu marido é um homem maravilhoso que adora ser pai.
Temos bons amigos, mas são amigos que meu marido fez. Frequento grupos de bebês e converso com as pessoas, mas como se faz amizade com alguém? Eu tinha a esperança de que o grupo pré-natal fosse um bom lugar para conhecer gente, mas era cheio de panelinhas — um pouco como estar de volta à escola. Tudo muito competitivo, e não podemos arcar com todos os acessórios de bebê, atividades e aulas. Fomos a um churrasco na casa de uma das mães e era uma mansão. Fiquei envergonhada pelo fato de nossa casa ser alugada e pequena.
Algumas pessoas já comentaram no passado que não me conhecem ou que é uma pena que não tiveram a chance de me conhecer mais. Na universidade, eu me concentrava no trabalho acadêmico em vez de andar com as pessoas. Tenho medo de que, se não entrar num grupo de mães, isso comece a afetar meu filho, porque ele não vai ter amigos da idade dele ou sair para brincar, e quero lhe dar todas as chances de ser feliz.

Em primeiro lugar, essa mulher consegue *sim* ter relacionamentos, porque parece ter duas boas relações — com seu bebê e com seu marido. O que ela está fazendo é algo de que todos somos culpados de tempos em tempos: encontrar justificativas sobre por que acha difícil criar uma conexão. Ela está sendo convidada à casa de outras pessoas, mas continua vendo os grupos e subgrupos que se formam naturalmente como "panelinhas" e supondo que devem ser todas competitivas. Ao analisar o comportamento dos outros em vez do seu próprio, ela arranja uma desculpa sobre por que não consegue fazer nada para melhorar suas conexões. No entanto, como não temos como controlar o comportamento dos outros, mas podemos controlar o nosso, acredito que o melhor lugar para começar é pensando em nosso papel no problema. Como contribuímos para a situação se não temos um grupo a que pertencer? O que nos leva a nos sentirmos superiores ou inferiores demais para participar?

Na realidade, não acho que essa mulher queira fazer novos amigos. Ela estava satisfeita com as conexões que já tinha criado. O problema é que ela queria fazer amigos pelo bem do filho, e não por ela mesma. Nem todos precisamos do mesmo número de conexões — algumas pessoas conseguem viver com pouquíssimas, e essa mulher é um exemplo disso. Não sei se é possível formar conexões e alianças genuínas se não estivermos fazendo isso por nosso próprio prazer e afinidade.

Para nos conectar com as pessoas, precisamos usar nossa coragem para nos abrir, compartilhar nossas vulnerabilidades e cuidar dos outros quando eles fizerem o mesmo. Não é necessário ter os mesmos sentimentos ou a falta deles, nem o mesmo rótulo, tampouco defender as mesmas opiniões. Mas temos de estar dispostos a nos permitir ser vulneráveis, compartilhar a forma como nos sentimos e como vivenciamos nosso mundo, nossas reações, sensações e pensamentos; e precisamos estar abertos a ser impactados pela outra pessoa em resposta. O importante é chegarmos perto de entender como o outro se sente, e sentir por ele, e ser sentido em resposta.

Para nos conectar com os outros de verdade, precisamos não ser quem pensamos que *deveríamos* ser ou quem pensamos que eles *querem* que sejamos, mas quem *realmente* somos. Se nunca corrermos o risco de desagradar a outra pessoa, nunca nos damos a oportunidade de nos deixar conhecer. Para sermos conhecidos, temos de ser vistos, e nunca vamos ser vistos se nos escondermos. A ansiedade com a própria imagem que transmitimos muitas vezes atrapalha a conexão. Uma forma de contornar essa sensação é substituí-la por um interesse pela outra pessoa. Isso significa tirar o foco de nós mesmos e transformá-lo em curiosidade pelo outro. Quando fazemos isso, fica mais fácil nos deixar encantar pelo outro em vez de ser drenados por ele.

Uma das formas de aumentar a conexão é falar as coisas na hora e resolver as situações com conversas, em vez de achar que precisamos ter tudo resolvido na cabeça. Isso significa não filtrar todas as suas reflexões: diga "Quero que você saiba" ou procure articular outros pensamentos assustadores e reveladores sobre si mesmo antes de ter certeza de como eles vão ser recebidos. Você pode descobrir como se sente na relação junto com o outro, e nem sempre dentro da sua cabeça. Diga coisas de maneira espontânea. Pratique ser você mesmo e não ter certeza sobre como vai ser recebido. Tenha coragem para compartilhar. É uma fórmula infalível? Não. É um risco. Mas é um risco que vale a pena correr. Se só tivermos uma relação com outra pessoa dentro da nossa cabeça, supondo que sabemos sempre como ela vai reagir, não há como realmente termos uma relação com ela. Quando minha correspondente disse que as pessoas formavam panelinhas ou eram competitivas, não estava se relacionando com elas: estava se relacionando com quem imaginava que elas eram, e não é assim que se cria uma conexão.

Se estiver compartilhando quem você realmente é e ainda assim achar difícil encontrar um grupo, talvez seja o momento de procurar sua turma em outro lugar. Penso em como me sinto confortável com minha vida em Londres, onde sou parte de muitos grupos — alguns formais, como um coral para o qual entrei, e outros informais, como círculos de amigos. Antes de me mudar para cá, lembro-me de me sentir desorientada, como se estivesse sempre do lado de fora. Acho que é porque eu ainda não tinha encontrado minha turma. O estereótipo de se mudar de uma cidade pequena para uma cidade grande e só lá encontrar sua turma faz sentido porque, com mais pessoas disponíveis, são maiores as chances de conhecer gente mais parecida com quem você possa se conectar. Talvez eu ainda nem tivesse descoberto quem eu era. E você não pode ser quem você é se nem mesmo sabe quem é essa pessoa. Uma das melhores formas de descobrir isso é tendo conversas espontâneas.

ÀS VEZES, RELACIONAMENTOS PARECEM DIFÍCEIS

Ao longo dos anos, muita gente me escreveu sobre parceiros que acham que estão sempre certos, amigos que as aborrecem, pais que controlam sua vida mesmo depois que elas se tornam adultas, chefes que não escutam e agressores dissimulados que devastaram sua confiança com milhares de microagressões até elas não saberem se o chão em que pisam é mesmo chão ou algo em que podem se afogar. Às vezes, nos retraímos porque os relacionamentos parecem difíceis demais.

Penso numa mulher que me escreveu depois que o lockdown acabou porque estava tendo dificuldade em retomar o convívio após o período de isolamento.

Só agora consigo voltar à sociedade, depois de vinte meses precisando ficar isolada. Por causa de complicações médicas, só me vacinei há pouco tempo e tinha ficado completamente solitária por medo de lidar com a covid. Adoeci com uma infecção grave em certo momento durante o lockdown e, por sorte, sobrevivi, mas isso me mostrou como sou sozinha e vulnerável.

Também fui demitida. Tenho me candidatado a vagas e feito entrevistas. Inevitavelmente, acabo sendo rejeitada e, mesmo quando isso não acontece, meu valor é questionado e menosprezado.

Estou muito decepcionada com o que pensei que eram amizades sólidas. Colegas e amigos me abandonaram quando eu não podia oferecer nada por ter perdido meu emprego. Somos completamente sozinhos na vida, e os relacionamentos são todos sem sentido.

Aos 39 anos, desisti da ideia de ter um relacionamento romântico e formar uma família. Os homens querem saber no primeiro encontro se você se atrai por eles — eu levo mais tempo para saber. É como se não dessem valor a cuidar do relacionamento. Não estou buscando nada grandioso, apenas um sim ou não a uma mensagem sugerindo dar uma volta, estar livre para rir e conversar de tempos em tempos ou ter um encontro sem expectativas.

A porta do mundo pode estar aberta agora, mas tenho dificuldade de passar por ela.

O isolamento e a solidão nos deixam com um pé atrás, desconfiados dos outros. Se algo acontece uma ou duas vezes, podemos sentir que é um padrão e nos retrair para nos proteger de que aconteça de novo. Ficamos com receio de ser vulneráveis para nos proteger de mais rejeição. Os seres humanos são animais sociais e, quando um animal social é retirado do grupo, isolado e então reintroduzido, ele não se joga de volta ao centro. Fica pelas beiras, não corre riscos e permanece relativamente isolado. Esse experimento foi feito com ratos e moscas-das-frutas. Não acho que os humanos sejam muito diferentes em relação a seus instintos.

Podemos ter algumas experiências ruins em relacionamentos ou com pessoas que víamos como amigos, e é natural pensarmos que é um padrão e que todas as experiências vão ser assim de um modo ou de outro, provando que os humanos são relativamente ruins e os relacionamentos não fazem sentido. Podemos inventar desculpas que parecem bem razoáveis — assim como a mulher que acabei de mencionar, que me apresentou evidências. Ser tão racional não ajuda quando usamos isso para sustentar nosso instinto de nos afastar de pessoas novas depois de um período de isolamento.

Há duas coisas que podemos fazer com o medo e a desconfiança: podemos ser dominados por eles e continuar escondidos ou podemos senti-los e avançar mesmo assim. Se nos escondermos, continuamos alimentando nossos medos, mas, se nos atrevermos a senti-los e agirmos apesar deles, eles diminuem aos poucos à medida que criamos relacionamentos e entramos na briga, mesmo se achávamos que não deveríamos.

Às vezes, estamos seguindo o pensamento de tudo ou nada. Conversamos com nós mesmos repetindo frases como: "Ninguém se importa com ninguém", "É cada um por si", "Amizade nenhuma serve para nada". O que todas elas têm em comum é que não deixam espaço para exceções. Alegam que a vida é oito ou oitenta e não nos permitem vivenciar todas as variações de nove a 79, que quase sempre existem. Um bom modo de identificar essas afirmações de tudo ou nada é ficar atento a palavras como "todos", "todo mundo", "100%", "ninguém", "nunca" — se aparecem é provável que a afirmação seja uma fantasia, uma teoria, uma convicção familiar, e que precisa ser desafiada ou alterada. Eu sempre digo: não confunda familiaridade com verdade.

Em vez disso, podemos criar uma fantasia diferente. Podemos dizer: "Todos são atraentes, inteligentes e interessados em mim". Isso também não é verdade, claro, mas se for para ter uma fantasia, que seja boa. Uma fantasia com a qual você se compromete a acreditar impacta sua energia para os outros e o que vão sentir quando estiverem com você.

Qualquer suposição que você tiver sobre as outras pessoas se torna uma profecia que se autorrealiza. Quando vai encontrar um grupo e, ao chegar, pensa: "Ninguém gosta de mim, ninguém gosta de conversar comigo, os relacionamentos não têm sentido", como isso vai transparecer em sua linguagem corporal? Que energia você vai passar? É provável que acabe no canto, evite contato visual e seja reservado em todas as conversas. Agora se imagine pensando: "Todos são interessantes e atraentes e estão felizes em me ver, e sou interessante, valioso e atraente. Quero conversar com eles sobre o que estou pensando e descobrir no que estão pensando" — como isso vai transparecer em seu rosto, linguagem corporal, contato visual e na energia que passa? Você será muito mais acessível, simpático e atraente.

Nosso desafio é não perder a confiança na bondade da maioria das pessoas. Nem todos os humanos são maus, e alguns, na realidade, são ótimos, divertidos e interessantes. Acabamos criando o hábito de ter relacionamentos com as pessoas apenas em nossa cabeça, e imaginamos suas motivações, seus pensamentos e sentimentos da pior maneira possível. Nunca vamos conferir a realidade com eles, então nos tornamos nossos próprios perseguidores mas culpamos os outros por isso. Todos já fizemos algo assim. E podemos parar de fazer. Seja otimista em relação a como as pessoas são e vá saindo aos poucos dos cantos da sua zona de conforto, até que possa voltar com tranquilidade e ficar menos ansioso. Temos uma vantagem em relação à mosca-das-frutas: podemos decidir reconhecer nossos instintos, entendê-los e escolher ser mais forte que eles. Podemos seguir nosso cérebro em vez de nossos instintos.

> **SABEDORIA DO DIA A DIA**
>
> Não temos como não imaginar o que os outros acham de nós. Mas se é para ter uma fantasia sobre o que os outros pensam sobre você, que ela seja boa. Isso pode não mudar nada, mas você vai se sentir mais calmo.

Fico muito feliz quando vejo sistemas de crenças em transformação, e o segredo para isso é reconhecer quando você está tendo uma fantasia sobre uma ou mais pessoas — escolhendo a dedo as evidências que sustentem sua teoria em vez de examinar todas e usando afirmações de tudo ou nada. Se você trocar uma fantasia negativa por uma positiva, isso vai transparecer em seu rosto e mudar a sua vida. Eu já fiz isso, meus pacientes já fizeram isso e deve ser por esse motivo que prego tanto isso. Reprogramar-se de "Todos são horríveis" para "Todos são maravilhosos" faz uma enorme diferença. Você pode achar fácil ou precisar de toda a sua coragem para virar essa chavinha. É uma questão de voltar sua atenção para a esperança e as evidências de que algumas sementes germinam sim (mas não se você não as semear).

Agora, repita comigo: "Todos são interessantes e atraentes incluindo você e eu, e estamos todos muito felizes em nos ver". Vai ser preciso prática se você se acostumou com "Ninguém vale o esforço", porque nisso você se esforçou. É hora de atualizar sua próxima profecia. Só temos uma vida (ao que parece) — não seja uma mosca-das-frutas.

COMO FORMAMOS LAÇOS

De modo geral, a maneira como formamos conexões no presente é influenciada por como fomos amados no passado. Buscamos parceiros que nos fazem sentir as mesmas emoções que sentíamos quando estávamos perto das pessoas que nos criaram. Há quem diga que o amor é como voltar para casa, como regressar ao que é familiar, que vem de um tempo antes que as palavras pudessem explicar essa familiaridade. O problema do que é familiar nesse sentido é que parece ser certo. Quando conhecemos alguém que evoca esses sentimentos, pode parecer que é "a" pessoa porque confundimos o que parece uma química boa com o que é familiar. Foi o caso deste homem que me escreveu sobre seu relacionamento:

Fui muito apaixonado pelo meu ex durante os três primeiros anos do nosso relacionamento. Os problemas começaram quando ele me pediu em casamento. Senti que estávamos nos distanciando e pedi para procurarmos um terapeuta de casal. Não ajudou. Ele falou certas coisas na sessão que me machucam até hoje. Por exemplo, que nossa parceria era como uma criança chorona da qual ele queria fugir. Fiquei abalado com a deterioração do relacionamento à medida que ele se distanciava mais e mais.

O casamento foi adiado. A gota d'água foi quando ele organizou uma viagem com um amigo e não fui consultado nem convidado. Entrei em desespero e, um dia, depois de ele ter me ofendido, eu disse que estava terminando. Quando consegui me acalmar, tentei voltar atrás, mas ele se recusou a me dar ouvidos. Nunca mais o vi.

Em termos pessoais e profissionais, estou muito bem. Mas pensamentos tristes ainda me perseguem, e tenho medo de não alcançar um lugar onde eu não sinta mais esse peso. Preciso que ele me procure e diga que sente falta da minha amizade. Tive outros relacionamentos depois desse, mas sempre sinto que não vou me recuperar de verdade e nunca vou estar totalmente presente em minha vida.

Eu diria que esse ex tinha o que chamamos, no jargão, de estilo de apego evitativo. Isso quer dizer que ele não gosta de chegar perto demais — pode até pensar que gosta, mas a verdade é outra. Não é incomum que pessoas com estilo de apego evitativo se afastem de um relacionamento quando ele se torna mais firme — mesmo que elas próprias tenham iniciado o compromisso. As pessoas desenvolvem esse estilo quando aprenderam na infância que não podem depender dos outros para serem tranquilizadas, e resolvem esse problema decidindo de maneira inconsciente (antes mesmo de aprenderem a falar) que nunca vão precisar de ninguém. As defesas que nos ajudam em nossos primeiros relacionamentos se tornam um obstáculo e nos atrapalham em situações novas: o que era autopreservação se torna autossabotagem. Posso supor que esse ex ache a necessidade humana de conexão assustadora e/ou repulsiva em certo grau.

O homem que escreve a carta, por um lado, pode ter o que os terapeutas chamam de estilo de apego inseguro. Uma das principais emoções que pessoas com apego inseguro sentem quando estão crescendo é anseio — elas ansiavam pela atenção do pai ou da mãe e agora vivem esse anseio como amor. Parece certo porque é familiar: seus primeiros cuidadores despertaram mais anseio do que segurança. Pense em como uma criança de colo deseja os pais. Note o grude, o desespero, o anseio: está tudo ali. Pessoas com estilo de apego inseguro são assombradas por um fantasma interior desse bebê ou criança de colo que ansiava e ansiava e, às vezes, vivia o êxtase de ser segurado por instantes que reforçava o anseio e o fazia ansiar aquilo ainda mais.

Quem apresenta esse estilo costuma se atrair por parceiros esquivos e evitativos. Pessoas com apego inseguro são boas em ansiar, e é comum que quem desperte isso seja uma pessoa que foge do compromisso — em outras palavras, alguém com estilo de apego evitativo. Se parecíamos nunca acertar aos olhos dos nossos primeiros cuidadores, do ponto de vista psíquico isso parece um assunto inacabado, então buscamos parceiros aos olhos de quem não conseguimos acertar, com o desejo de que, dessa vez, tenhamos sucesso, para que o assunto inacabado possa enfim ser deixado para trás. Uma pessoa maravilhosa mas indisponível emocionalmente para nós consegue acender essa chama. O que é viciante no amor para pessoas com apego inseguro são os pontos altos, que só são possíveis porque há pontos baixos.

É importante notar que ninguém escolhe seu estilo de apego — a maneira como formamos laços é um processo inconsciente. Por outro lado, ninguém está preso ao seu estilo para sempre — ao tomar consciência dele, você pode escolher não ficar à sua mercê. Acredito que o homem que me escreveu, assim como pessoas como ele, podem sim se recuperar. Se você se identifica com essa situação, minha sugestão é pensar em seus primeiros apegos com as pessoas que o criaram — ou que não criaram mas deveriam ter criado — e ver como as relações em sua vida atual ativam gatilhos antigos. Você precisava se esforçar muito para conseguir a aprovação dos seus pais? Algum professor por quem tinha uma quedinha se recusava a elogiar você? Consegue ver um padrão de se apaixonar por pessoas indisponíveis, que moram fora ou que já estão comprometidas?

> **SABEDORIA DO DIA A DIA**
>
> Costumamos confundir familiaridade com verdade. Só porque estamos acostumados a pensar ou sentir de determinada forma, não quer dizer que essa seja a forma certa.

Se você nota padrões de amor não correspondido, quero que pense em seu anseio. Quando está nele, você é seu anseio. Seu anseio é você. Dê um passo para trás. Olhe para ele de maneira distanciada. Para seguir em frente, o que você vai precisar fazer é reconhecer que o seu tipo não é o seu tipo: não é o tipo evitativo que vai lhe proporcionar esses pontos altos, seguidos por baixos, mas alguém que seja confiável e disponível. É isso que chamamos de tipo de apego seguro. E não vai ser amor à primeira vista, pois essa pessoa não será familiar no sentido que uma pessoa evitativa seria: ela é confiável. Você não vai viver aqueles pontos altos, mas também não vai sofrer os baixos e, com o tempo, à medida que se familiarizam, vocês vão subir devagar até um ponto alto mais estável, criado com base na satisfação de estar na companhia um do outro em vez de no entusiasmo inebriante de reforços positivos sem consistência.

DUAS FORMAS DIFERENTES DE SER AMIGO

Todos têm suas inclinações, seus hábitos e suas convicções quando se trata de como fazemos e mantemos conexões, do que devemos às pessoas em nossa vida, como devemos agir com elas, o que é aceitável e inaceitável, leal e desleal — e vamos diferir uns dos outros. Se supusermos que todos têm as mesmas formas de agir que nós, é provável que sejam nossas próprias suposições e expectativas que nos causem mágoa, e não que os outros estejam fazendo algo de maneira intencional para nos rejeitar.

Recebo muitas cartas sobre dois amigos que já foram próximos e então um deles parece abandonar a amizade. Este e-mail de uma mulher detalhando a mudança de sua amiga para os Estados Unidos é um exemplo:

> Perdi contato com a pessoa que eu pensava ser minha melhor amiga. Nos conhecemos na escola quando ela fez um ano de intercâmbio de seu país natal. Por dez anos, ela foi a pessoa mais importante do mundo para mim e dividimos muita coisa.

Cerca de cinco anos atrás, ela foi para os Estados Unidos por causa de um trabalho e, antes de partir, me visitou e foi maravilhoso. Estava sendo difícil manter contato, já que tínhamos começado a trabalhar e construir nossa vida em nossos respectivos países, mas nunca duvidei que esse período passado por ela do outro lado do mundo traria ainda mais para compartilharmos juntas.

Ela me enviou um cartão-postal dos Estados Unidos e eu vivia pedindo o endereço aos pais dela, para poder lhe escrever, porque seu e-mail não funcionava mais. Nunca me deram. Pelas redes sociais (através do irmão dela, porque ela mesma não é ativa na internet), vi que se casou com o namorado, que tinha ido atrás dela nos Estados Unidos, e que voltou a morar em seu país de origem e teve um bebê.

Fiquei profundamente magoada por eventos tão grandes acontecerem e ela parecer nem ter pensado em mim. Escrevi uma carta dizendo como fiquei arrasada (pelo endereço da casa dos pais dela, que ainda sei de cor). Não tive coragem de enviá-la, por medo de que ela nunca responda ou me diga alguma verdade horrível. Devo enviá-la?

As inclinações das pessoas quando se trata de amizades diferem. Algumas ainda são melhores amigas das pessoas com quem brincaram na escola primária, enquanto outras — mesmo que possam ficar contentes em encontrar na rua alguém de quem já foram íntimas — tendem mais a formar laços com pessoas que estão envolvidas em sua vida atual. Não estou dizendo que uma é superior à outra nem que uma é moral e a outra não, só que essas formas diferentes de existir no mundo são naturais a cada um de nós.

Se você é naturalmente um bom amigo de longa distância, pode — como a mulher que me escreveu — ficar perplexo e magoado por um amigo que tenha se mudado para longe e perdido contato. Se você tivesse feito isso, seria por ter havido algum tipo de mágoa ou mal-entendido. Quando não consegue entender o motivo, você passa a supor que essa pessoa está sendo cruel ou que você deve ser desagradável em algum sentido. O mais provável é que ela só tenha um padrão de amizade diferente do seu. Se o seu amigo for alguém cuja amizade tenda a ter mais a ver com o presente do que com o passado, ele pode ficar perplexo ao saber que te magoou porque não manteve contato. As ideias dele sobre amizade podem não ser as mesmas que as suas.

Também existem amizades de melhores amigos que são quase como um namoro, e então um namorado de verdade surge, um interesse amoroso real, e parece que a amizade foi apenas um ensaio para um relacionamento sexual completo. Isso também não é um problema se for o caso para os dois lados, mas, se um de vocês achava que esse era um laço para a vida e o outro que amizades como essa são substituíveis pelo amor romântico, pode haver mágoa. Ser a pessoa mais importante de alguém é pressão demais. A vida das pessoas muda e se altera, e as prioridades também se modificam.

Particularmente, à medida que ficamos mais velhos, sair se torna um esforço maior; vamos ficando mais fechados, e certa flexibilidade pode se perder. Quando somos mais jovens, é mais provável que experimentemos coisas novas e conheçamos pessoas novas porque temos mais energia. Numa idade mais avançada, em que seus hábitos e sua personalidade estão mais formados, é possível que criar um laço seja um processo mais complexo. Existem muitas conexões potenciais e cada um está num espaço psicológico diferente, seguindo a vida com um conjunto diferente de atitudes e querendo coisas diferentes. Creio que possa ser mais difícil para pessoas mais velhas formarem um vínculo forte, uma vez que os jovens têm a chance de amadurecer juntos. Mas está longe de ser impossível.

O MITO DO PERFEITO

A escritora Naomi Alderman afirmou que o objetivo de ter um parceiro é ter alguém para testemunhar sua vida. Embora haja muita gente que consiga levar a vida de maneira feliz e bem-sucedida sem um parceiro romântico, fazer isso juntos é uma experiência diferente. Sophie Heawood, mãe solo há anos e autora de *The Hungover Games* [Jogos de ressaca], contou ter concluído recentemente que o objetivo de um parceiro romântico tem tanto a ver com sua experiência fora de casa quanto com a experiência que você tem com ele dentro de casa. Ela explica que sua experiência no mundo melhorou por saber que existe alguém em casa que a ama aconteça o que acontecer. "É como usar roupas à prova d'água depois de muitos anos sentindo que pegou chuva", ela diz.

Há muitas pesquisas sobre a saúde, os benefícios e os custos de bem-estar em manter uma relação duradoura, e você poderia passar horas pesquisando todas elas no Google. Para mim, uma das razões de ter um parceiro é poder contar com uma relação mútua e igualitária com alguém que você ama, que te aceita exatamente como você é e que te ama também, com seus defeitos e tudo. É difícil nessas circunstâncias não crescer como pessoa, não ter mais coragem, generosidade e amor para dar, não apenas a seu parceiro mas a todos em sua vida. Encontrar um bom parceiro amoroso é a cereja no bolo: o que significa dizer que, se preferir um bolo sem cereja, não tem problema.

É provável que o que eu mais receba sejam e-mails sobre como encontrar o parceiro perfeito, particularmente no mundo dos sites de relacionamento. Este homem é um dos muitos que me escreveram, sofrendo e exasperado:

> Vivi alguns relacionamentos breves, saí em muitos encontros e tive um relacionamento longo (já faz um tempo) em que levei um fora antes de planejarmos nos casar. Dediquei algum esforço a sites de relacionamento, mas a gota d'água foi ter enviado mensagens pessoais de qualidade a 47 mulheres diferentes nos últimos seis meses e não receber nenhuma resposta positiva. Tenho cinquenta e tantos anos, sou alto, estou em forma, minha aparência é comum e convencional, sou articulado, bem-humorado e inteligente.
>
> Além de sites de relacionamento, faço parte de um grupo social local de confraternizações e passeios para conhecer pessoas. Se descartar as que são velhas demais, ou muito maiores do que eu, e as que dizem "cansei" em relação aos relacionamentos, quase não sobra ninguém.
>
> Há pouco tempo saí com uma pessoa que dizia querer algo duradouro, mas terminou comigo abruptamente sem dar motivo. Foi devastador. Nós só nos abraçávamos, mas isso me lembrava do que faltava em minha vida fria.
>
> Desmenti completamente o ditado "Toda panela tem sua tampa". É óbvio que não tem. Devo me resignar a ficar sozinho pelo resto dos meus dias? Ou devo continuar tentando, na esperança de conhecer alguém

especial, sabendo que os repetidos fracassos estão prejudicando minha autoestima e minha saúde mental?

Um dos erros que vejo as pessoas cometerem é tratar os sites e aplicativos de relacionamento como se estivessem fazendo compras: navegando e deslizando para encontrar a pessoa perfeita, como se procurassem uma calça jeans. Sinto dizer, mas a pessoa perfeita não existe. Aconselhei esse senhor a tentar manter a mente aberta, aceitar mais o "Não sei" e ter menos certeza sobre como as pessoas são e se ele vai se dar bem com elas. Deixe o julgamento de lado (as pessoas farejam gente que julga a quilômetros de distância). Evite pôr as pessoas em caixas e, seja como for, o tipo daquela pessoa pode não ser o seu.

É difícil criar um compromisso nesses tempos de sites e aplicativos de relacionamento porque temos um número infinito de opções. Quando nos decidimos por algo também terminamos algo ("cidir" vem do latim *caedere*, que significa matar ou abater), e se comprometer com uma pessoa significa eliminar a possibilidade de outras escolhas. É natural querer tudo, mas ter uma relação que possa crescer significa dar adeus à possibilidade de outras. É natural que as pessoas não queiram tomar uma decisão errada, mas esse medo de cometer um erro faz com que elas fiquem em cima do muro.

O psicólogo Barry Schwartz fez experimentos sobre como as opções disponíveis afetam a forma como nos sen-

> **SABEDORIA DO DIA A DIA**
>
> Às vezes, as pessoas tentam evitar erros não tomando uma decisão, mas não tomar uma decisão também é uma escolha que traz suas próprias consequências.

timos em relação às decisões que tomamos. Sua pesquisa mostrou que, quando as pessoas têm seis chocolates entre os quais escolher, elas decidem rápido e ficam felizes com sua escolha. Quando têm cem, a maioria não escolhe o primeiro de que gostam, mas agoniza por todos, e então, quando finalmente elege um, fica muito menos satisfeita com ele do que as pessoas que tiveram apenas uma variedade de seis. Schwartz também constatou que as pessoas tendem a ser o que ele denominou maximizadoras ou satisficientes (uma junção de "satisfeito" e "suficiente", significando essencialmente "bom o bastante"). Os primeiros esperam pela perfeição, enquanto os segundos têm uma atitude de "este vai servir". Adivinhe quem é mais feliz de modo geral? Sim, os satisficientes. É normal se preocupar que haja algo melhor logo depois da curva e, por isso, ter dificuldade em se comprometer. No entanto, a escolha com a qual nos comprometemos vai nos dar mais satisfação porque é o compromisso em si, tanto quanto — se não mais do que — o objeto, que é uma escolha boa. A tendência maximizadora é seu sabotador particular, e não seu amigo.

Se estiver procurando um relacionamento e sofrer com a pressão de encontrar a pessoa perfeita, incentivo você a se contentar com alguém que esteja perto disso. Pense no amor como algo que se faz, e não algo em cujas redes você cai. E não pense em si como apenas a pessoa que escolhe, permita-se ser encontrado também. Você vai precisar ficar à vontade com essa incerteza. Dedique menos esforço, tenha encontros e passeios para se divertir e não trate esses momentos como uma entrevista ou uma tarefa. Esteja aberto, seja você mesmo e aproveite.

O MEDO DO ETERNO

Recebi uma carta de um contador de 24 anos que fazia mestrado enquanto trabalhava para uma consultoria de administração em meio período. Dizia:

> Conheci há pouco tempo uma mulher num aplicativo de relacionamento depois de ficar solteiro por um ano desde o começo da pandemia. Ela tem uma idade próxima da minha e estamos saindo há dois meses. Ela é muito atraente e simpática, e nos divertimos juntos — ela sabe me fazer rir.
> Mas há um sinal de alerta. Embora esteja na casa dos vinte, ela ainda mora com os pais e não parece ter planos nem ambições de sair de lá e ser independente. Além disso, apesar de ter um trabalho de meio período, ela não contribui com as contas da casa. Entendo que o aluguel é caro e que as pessoas estão ficando mais tempo com os pais, mas ela não tem planos de ir para a faculdade nem progredir mais na carreira. Gasta a maior parte do dinheiro em passeios com amigos, viagens e hobbies.
> Meus amigos e minha família dizem que ela é uma esbanjadora que vai acabar com todo o meu dinheiro se um dia morarmos juntos, considerando que ela nunca levou a vida como adulta, nunca teve de fazer um orçamento ou pensar em contas, e que eu deveria terminar o relacionamento. Entendo o argumento deles, mas estou feliz com ela. É difícil saber o que fazer. Que conselho você daria?

Acho que muitos de nós conseguem se identificar com essa situação: conhecemos uma pessoa que gostamos de ter por perto, mas não sabemos bem se é a pessoa com quem queremos passar o resto da vida. A sociedade tende a nos sobrecarregar com um jogo de tabuleiro de metas e marcos que deveríamos alcançar em determinadas idades. Essa pode até ser a melhor forma de viver para muitas pessoas, mas não é a única maneira válida de encarar nossa existência. Temos permissão de nos divertir no presente em vez de profetizar sobre a probabilidade de estar ou não com alguém no futuro. É injusto e ao mesmo tempo muito fácil cair em fantasias do que pode ou não acontecer, do que podemos ou não querer, do que o outro pode ou não fazer.

Se estiver numa situação em que seus amigos e familiares estão confusos com suas escolhas, quero que saiba que é bom escutar e levar a sério quando pessoas próximas nos desafiam, e compatibilidade é sim importante, mas também não há problema em se divertir no momento. Dê tempo ao tempo para as coisas seguirem seu caminho e você descobrir que caminho será esse.

É importante lembrar que uma pessoa não se resume a suas perspectivas nem sua aparência. Uma pessoa é uma alma. Ter a capacidade de ser feliz, de saber como cultivar interesses e amigos e se conectar com outra pessoa vale mais do que muitos diplomas. Somos o que gostamos de fazer, mais do que nossas qualificações. Não há modo de saber como uma pessoa é nem como ela vai impactar nossa vida só de olhar para como ela é na teoria. No entanto, podemos dizer se gostamos ou não de alguém pela forma como nos sentimos com ela. Portanto, eu sugiro que você sinta e escute o que é real e o que está funcionando no presente em vez de se limitar a um futuro hipotético.

Se não dermos ouvido a isso e nos fixarmos apenas ao que pensamos que deveríamos estar fazendo, é possível que tenhamos problemas. Isso me lembra de *Persuasão* de Jane Austen. Anne foi persuadida por uma pessoa inteligente e sensata que respeitava a rejeitar um jovem cavalheiro cujas perspectivas eram incertas. (A própria Austen passou por uma situação parecida: havia um rapaz interessado por ela que foi persuadido pelo pai a escolher alguém que não fosse tão pobre. É possível que isso tenha influenciado o romance.) *Persuasão* é uma bela história de alerta sobre as consequências de seguir conselhos sensatos que vão contra o coração.

OBSESSÃO NÃO É AMOR

Um erro comum que vejo as pessoas cometerem é confundir obsessão com conexão. Culpo em parte Hollywood por celebrar o tropo de "cair nas redes do amor" que tanto vemos nos filmes: o tipo de amor em que você é arrebatado de maneira passiva. Ele acontece *com* você, na verdade, como aconteceria com um bebê ou uma criança pequena. Uma criança pequena não faz nada, apenas cai na rede do anseio.

Este e-mail de uma mulher que sentia falta de uma "chama" em seu relacionamento é um bom exemplo:

> Meu companheiro e eu temos 33 anos de idade. Nos conhecemos cerca de dois anos atrás. Ele é uma pessoa gentil e atraente e, desde o começo, sinto que é uma relação segura, tranquila e confortável, mas sem muita chama. Isso ainda é verdade. No entanto, quanto mais nos conhecemos, mais algumas coisas melhoram. Ao contrário de alguns dos meus companheiros anteriores, ele é sensível, inteligente, sempre gentil, carinhoso e generoso — qualidades que valorizo muito e, como

tive muitas experiências negativas no passado, sou capaz de apreciar.
O problema é que há uma parte de mim que está em dúvida e não sei por quê. Acho que gostaria de alguém que iniciasse mais conversas ou aventuras. Eu o amo e me importo muito com ele. Gosto da sua companhia e me sinto amada; nosso sexo é bom. Tudo parece estar lá, mas queria me sentir mais empolgada, mais animada com a relação. É provável que a sensação de paixão e entusiasmo que vivi em relacionamentos anteriores se devesse a uma dinâmica pouco saudável porque eu nunca sabia onde estava pisando.
Não sei o que fazer e isso está me deixando ansiosa. Sinto que estou mudando de ideia a cada minuto. Gosto dele e não quero magoá-lo, então não quero que isso vire um problema entre nós. Ele também diz que a relação é ótima.

É muito provável que estejamos obcecados quando não sabemos ao certo onde estamos pisando e então, quando a pessoa finalmente nos dá um pouco de atenção positiva, sentimos uma adrenalina. Por outro lado, quando tudo que recebemos é atenção positiva, é fácil não dar valor. Como falei, não haveria os pontos baixos, que são a razão dos pontos altos. Mas o que temos, em vez disso, é uma construção lenta e constante rumo a um ponto alto mais duradouro.
Em geral, pessoas viciadas nesse tipo de amor cheio de adrenalina me lembram pessoas determinadas a parar de fumar ou beber. Num viciado, normalmente há dois lados: o lado sensato que sabe que aquilo faz mal e o lado impulsivo e irracional, que busca o cigarro, a bebida, a droga ou, nesse caso, o relacionamento. Ele sabe que isso vai fazer mal, que

vai prejudicar sua saúde, mas, sem sequer expressar isso em palavras, vai se ver acendendo outro cigarro; não há um processo de decisão, ele apenas faz. Quando somos viciados em bebida, ficamos antecipando a sensação do primeiro ou do segundo copo, o que alimenta o anseio. Não pensamos em como nos sentimos na manhã seguinte, não refletimos sobre como não vamos conseguir parar depois que tivermos começado, lembramo-nos apenas das partes boas, ignorando a infelicidade corrosiva e a montanha-russa de emoções. Costumo dizer às pessoas viciadas nesse amor cheio de adrenalina que seu tipo de parceiro romântico não é o seu tipo. Escolher um parceiro não é como escolher cortinas. Cortinas começam ótimas e depois vão desbotando. Um relacionamento continua a crescer e se desenvolver. O amor maduro é mais sobre se importar e fazer coisas um pelo outro do que pelo estágio inicial inebriado e apaixonado. Também significa se apoiar para encontrar satisfação. Um amor assim? Uau! É outro tipo de amor. Não é passivo, é amor como um verbo, é amor como uma ação, é o tipo de carinho constante, comprometido, disponível e consistente que é o amor de que precisamos, e não aquele que achamos que queremos. Não a loucura inebriante e obsessiva de "ninguém nunca teve um amor como o nosso", não um mar intempestivo, mas um lago pacífico que é mais profundo do que poderíamos ter imaginado. E a velha cicatriz que se formou em nossa infância vai cicatrizar e — mais do que isso — se tornar uma memória distante do amor em ação, e não um amor que cai num

> **SABEDORIA DO DIA A DIA**
>
> As pessoas acreditam que o amor é algo em que se cai, mas é muito mais do que isso. Agir de maneira amorosa é algo que se faz. O amor não é só passivo.

buraco familiar de novo. Não caia na armadilha do amor, *seja amoroso*. É muito melhor, no fim das contas, e leva a algo mais sustentável.

Aristófanes, em seu relato sobre as origens do amor, imaginou que os humanos foram cortados ao meio pelos deuses e que todos tinham a outra metade perfeita em algum lugar — tudo que tínhamos a fazer era encontrá-la. Ele tem muito a explicar, porque nunca fomos cortados ao meio — e não existe par perfeito. Mas três coisas podem ajudar. A primeira é compromisso: um relacionamento tem muito menos chances de acontecer sem isso porque, em vez de resolver os problemas, você é mais propenso a fugir. A segunda é assumir a responsabilidade por seus sentimentos, em vez de achar que seu parceiro é responsável por eles. A terceira coisa é tempo. A autora da carta disse: "Quanto mais nos conhecemos, mais algumas coisas melhoram". É isso que é o amor duradouro, não a incerteza eletrizante do "bem me quer, mal me quer".

RELACIONAMENTO É MAIS DO QUE SEXO

Há pouco tempo, recebi uma carta de uma mulher na casa dos setenta que estava num relacionamento havia quase dois anos. As coisas vão bem e ela vê um potencial de longo prazo com o novo parceiro, exceto por um aspecto.

> Tenho uma sexualidade profundamente aflorada. O sexo é um prazer imenso para mim. Não apenas os atos físicos explícitos, mas também a troca, a brincadeira, toda a transparência e o coração aberto. Meu parceiro é divorciado e desconfio que não tenha muita expe-

riência sexual. Acho que ele é reprimido nesse aspecto. Sempre fui aberta com ele sobre querer que nossa relação se tornasse plenamente sexual.

Ele tem uma doença cardíaca grave e quer tudo que temos, menos a parte sexual, por medo do coração, embora seu médico tenha dado sinal verde e dito que ele pode usar Viagra. Me incomoda que meu parceiro responda a minha vontade de ter uma relação sexual plena sem interesse, sem se importar com minhas necessidades e vontades — em todos os outros aspectos, ele é a pessoa por quem eu estava esperando.

Parece óbvio: eu deveria terminar. Mas somos compatíveis em todos os outros aspectos fora esse, incluindo o intelectual. Temos setenta e poucos anos — quando está longe de ser fácil encontrar um companheiro compatível. A tristeza de não ter mais sexo seria imensa, sem falar que é provável que um ressentimento subjacente corroesse minha consideração por ele.

Fantasio sobre encontrar um amante só para viver essa parte de quem eu sou enquanto fico com meu companheiro pelo resto da vida em todos os outros sentidos. Ele aceitaria? Talvez, mas duvido.

Relações de parceria podem ser vistas em fases:

1. Pré-sexual, sem coabitar

2. Sexual, sem coabitar

3. Sexual, coabitando

4. Pós-sexual, coabitando

Claro, algumas pessoas nunca são pós-sexuais, mas, quando estamos na terceira idade, não temos uma frequência sexual tão grande quanto em nossa juventude — uma redução que, às vezes, acontece de maneira gradual e outras em passos maiores, como quando temos um filho ou adoecemos. Nossa sensação de segurança se abala quando o sexo diminui porque, muitas vezes, foi uma forte atração física mútua que nos levou àquela relação a princípio. Não confunda a redução que acontece naturalmente com o tempo com a redução que acontece quando se tem uma diferença irreconciliável.

Um relacionamento sexual muitas vezes está ligado a status, de uma forma ou de outra. O que quero dizer é que um relacionamento pode entrar num ciclo destrutivo e passar a ser mais focado em quem tem o poder do que em mutualidade, apoio e prazer. Se não tomarmos cuidado, o que antes era uma relação próxima pode decair para "quem é melhor" em determinado sentido. Essas coisas nem sempre são conversadas ou admitidas a menos que você seja psicologicamente consciente e, num casal, isso é bastante complexo.

Normalmente há muito trabalho a fazer em termos dos limites do que cada pessoa precisa e onde é necessário haver meios-termos. Acredito que alguém que não quer fazer sexo não deve ser pressionado a isso. Não temos como persuadir alguém que não quer fazer sexo. Sim, pode ser doloroso e frustrante para o companheiro, mas cada um de nós é responsável por cuidar do próprio corpo e descobrir do que precisa.

> **SABEDORIA DO DIA A DIA**
>
> Não é porque ocorre uma redução na frequência sexual quando um casal se distancia que eles vão se distanciar se transarem menos. O importante é honrar pedidos de atenção, sejam sexuais ou não.

Alguns tendem a supor que sexo significa a mesma coisa para nossos parceiros do que para nós. Isso não é feito de maneira consciente, mas de uma forma que é quase dada como certa, e muitas vezes tácita. É por isso que às vezes é chocante quando encontramos diferenças na forma como outra pessoa encara intimidade, sexo e masturbação. Devemos lembrar que cada um de nós terá atitudes diferentes formadas em relação ao sexo; isso pode ser difícil de explicar ou falar, porque muitos não têm o hábito de expressar suposições não conscientes sobre sexo em palavras (talvez nem para si mesmos). Mas acho importante entender a fundo o que está em nossas respectivas páginas e ter empatia pelo ponto de vista de cada um. Cuidado ao analisar as questões em termos de certo e errado e mantenha o diálogo aberto.

Infelizmente, nosso corpo chega a um auge na juventude e, à medida que vamos envelhecendo, só nos resta lamentar a perda da pele firme, assim como só nos resta lamentar o fato de que o sexo não é mais algo que acontece duas vezes ao dia. Mas isso não prejudica nossa capacidade de amar e estimar nosso parceiro, como sempre fizemos. E, em certos casos, esse corpo, com suas protuberâncias e dores, também proporcionará um excelente sexo — talvez com menos frequência. O que sustenta um casamento não é um sexo regular incrível; é honrar pedidos de atenção. O que quero dizer com isso é que, quando um de vocês faz um comentário (não precisa ser sobre sexo, pode ser tão mundano quanto um comentário sobre o gato), ou parece pedir uma resposta, esse contato — o pedido — é respondido ou, em outras palavras, honrado. Honrar não necessariamente significa fazer o que a pessoa quer, mas sim escutar e comunicar que você a entendeu. Pesquisas do Gottman Institute mostram que, quando sete de dez pedidos num casamento são honrados em ambos os lados, o casamento se desenrola bem; quando há menos de três pedidos de atenção honrados, é provável que enfrente problemas.

Outro indicador de um bom casamento é o toque amoroso — que não necessariamente significa toque sexual. Sentir-se relaxado um com o outro significa que podemos compartilhar pensamentos e sentimentos. Não se sentir competitivo e não entrar em disputas frequentes para ver quem tem razão também ajuda a criar um laço duradouro de apoio mútuo. Com o tempo, um casal compartilha tantas coisas juntos, como memórias e a criação dos filhos, que seu amor tem menos chances de ser demonstrado pelo sexo. Outras coisas podem assumir gradualmente o lugar do sexo como pontos de ligação. São essas outras coisas num relacionamento que o mantêm próximo. O companheirismo, no fim, é do que as pessoas precisam, mais do que de sexo. Um companheiro compatível precisa ser valorizado.

Dito isso, nossa protagonista decidiu que o sexo era importante demais para que ela abrisse mão dele. Numa segunda carta, me contou que deixou o companheiro porque ele não queria dividi-la com um amante. Ela está buscando novos ares agora. O tempo vai dizer se foi a melhor decisão. Nem sempre estou certa.

O PODER DA ENTREGA

Certa vez, tive um paciente que me contava um incidente após o outro em que ele estava certo e a outra pessoa errada. No começo fui compreensiva, mas, quando notei que já tinha ouvido histórias semelhantes demais, percebi que havia algo emperrado.

Ele fora relutante em me contar sobre seu passado, sua infância, e estava convencido de que seus problemas estavam no presente, especificamente nas "outras pessoas". Eu disse que tinha medo de um dia ser transformada numa dessas outras pessoas e, de fato, isso acabou acontecendo. Certa ocasião, confundi o horário da nossa sessão — o que foi errado, descuidado e lamentável da minha parte, mas meu paciente quis me transformar num monstro por isso. Quatro sessões dele me dizendo como eu era péssima foram bem desgastantes para mim. Depois de um tempo, ele perdeu o fôlego e voltou às histórias de outras pessoas erradas na sua vida, e o incentivei a me contar sobre a primeira pessoa que lhe fizera mal.

Nesse momento, meu paciente se abriu sobre a mãe, que não acreditou quando ele lhe contou que estava sendo abusado sexualmente. Ela falhou em protegê-lo e o deixou em perigo várias e várias vezes, até que ele finalmente tivesse idade suficiente para escapar da situação. Essa foi a injustiça da sua vida, e era doloroso encará-la. Ele se sentia tão assustado, furioso, vulnerável, indefeso e magoado quanto na época em que o abuso estava acontecendo. Não era de admirar que relutasse em lembrar, mas, quando lembrou — quando repassou o abuso que havia sofrido e percebeu que agora era um adulto no controle da própria vida —, a necessidade de culpar os outros por tudo diminuiu. Ele começou a ter relacionamentos melhores, menos conflitos e uma vida profissional melhor. Passei até a ter a chance de errar de vez em quando sem ser transformada num demônio.

Meu paciente fez o que todos somos suscetíveis a fazer: viver no presente com uma dinâmica do passado. Quando aprendeu a deixar essa dinâmica para trás, ele passou a ser capaz de permitir a influência e o impacto dos outros. Conseguiu abrir mão do orgulho de estar sempre certo e aprendeu a confiar e se entregar. Ele tinha discernimento, claro — não iria se entregar a qualquer pessoa, mas o bastante para permitir que o amor entrasse em sua vida.

Para aqueles que nos conhecem e nos amam, somos especiais, mas isso não nos torna mais especiais do que nenhuma outra alma. Quando começamos nosso trabalho, meu paciente tinha a convicção inabalável de que era muito especial, o que o levava a estar sempre certo. Essa característica indesejável é reconhecida há séculos. Em tempos antigos, era chamada de pecado do orgulho, tanto que a Universidade de Oxford oferece uma palestra anual sobre isso desde que um antigo estudante deixou um legado com esse objetivo em 1684, portanto não estou dizendo nada de novo.

Quando me convidaram para proferir essa palestra em 2022, aceitei, não porque tivesse tanta sabedoria dentro de mim que precisava ser compartilhada, não porque queria ajudar, mas sim retribuir. Durante a maior parte da vida, fui uma disléxica não diagnosticada, e minha dislexia se origina de algo chamado transtorno do processamento auditivo. Quer dizer que consigo ouvir todos os sons distintamente, mas que há certo intervalo até eu conseguir encontrar sentido neles. Antes de esses diagnósticos sofisticados se tornarem mais comuns, eu era apenas categorizada como "não muito inteligente". Demorava para ler, trocava as palavras e não conseguia soletrar. Estava longe de ter o calibre necessário para ir à universidade, muito menos a Oxford. Meus pais acharam que seria uma boa ideia me relacionar com alguém de lá, então fui enviada à Oxford & County Secretarial College, em St. Giles. Enviar uma disléxica para um curso de taquigrafia e datilografia antes da invenção do corretor ortográfico entraria, em minha opinião, na categoria de algo não muito inteligente, e fui reprovada.

Apesar das lacunas em minha educação, consegui me manter nos empregos, me tornar psicoterapeuta, escrever artigos e livros acadêmicos, apresentar documentários, podcasts e programas de rádio e ter uma coluna semanal num jornal de circulação nacional. Ganhei a vida com as palavras que antes eram minha tortura. Mas, apesar desse sucesso aparente, meu orgulho ainda está ferido por aquele rótulo de "não muito inteligente". Então, quando fui convidada a proferir essa palestra, quis mostrar aos meus professores mortos do primário que talvez eu fosse sim um pouquinho inteligente, já que havia sido convidada a fazer um discurso *em Oxford*. Que ironia que o discurso fosse logo sobre o pecado do orgulho.

Interpretei que o pecado do orgulho tem muitos paralelos com o que costumamos chamar atualmente de narcisismo. Ninguém nasce narcisista ou orgulhoso; somos treinados nessas artes pela nossa criação. Na maioria das vezes, isso acontece como uma consequência de nos vermos ou vermos nossa família tratados como superiores durante a infância ou, no lado oposto, tratados como lixo, o que nos leva a compensar. O narcisista se vê como o melhor ou o máximo e quer tratamento especial. Um investimento excessivo em autoimagem é um sintoma de narcisismo. E o narcisismo se tornou a norma em nossa sociedade. A proliferação de coisas materiais se converteu em medida de progresso; a riqueza ocupa uma posição mais elevada do que a sabedoria; e a notoriedade é mais admirada do que a dignidade. Nossos políticos, nossas instituições e nossa cultura são infiltrados pelo narcisismo — temos uma cultura que supervaloriza a imagem à custa da verdade.

Dito isso, nem todo orgulho é narcisista: podemos nos orgulhar dos nossos filhos, nossos amigos e nossas conquistas. Mas não devemos criar o hábito de acreditar que nosso grupo ou nossas vitórias são superiores aos dos outros. É nesse ponto que o orgulho deixa de ser saudável e começa a ser à custa de outras pessoas.

Entregar-se é um antídoto para as tendências orgulhosas ou narcisistas. R. D. Laing cunhou o termo "diafobia", que definiu como medo do diálogo sincero: em outras palavras, o medo de ser impactado ou influenciado por outra pessoa. Entregar-se é abrir mão desse medo. Por exemplo, entregar o controle de uma conversa significa não tentar manipular a outra pessoa, mas estar aberto ao impacto dela sobre você. Entregar-se também é oferecer algo de si ao outro sem saber como isso vai ser recebido. Significa baixar a guarda, permitir-se ser vulnerável. Aceitar a inevitabilidade de que as outras pessoas não irão vê-lo como você pode querer ser visto. Significa não exigir delas que o vejam dessa ou daquela forma, e não se concentrar no que vai dizer em seguida enquanto alguém está falando. Em vez disso, entregar-se é se abrir a como as palavras do outro podem te afetar e mudar. Quando se entrega a uma conversa, você não sabe aonde ela vai levar porque está aberto a qualquer desfecho. Também significa permitir e confiar que os outros sejam como são.

Entregar-se ao outro é um risco e um ato de amor. Entregar-se significa perder o ego, abrir mão de controlar o comportamento e ter confiança de que o que será, será. Quando nos entregamos a um processo grupal, nos sentimos elevados ao experimentar ser parte de algo maior do que nós. Entregarmo-nos aos outros é nos dar a oportunidade de nos tornar algo maior do que nosso eu individual. Não tem a ver com ser conquistado por uma pessoa mais poderosa; tem a ver com abrir mão de uma rigidez que o impede de crescer em relação aos outros. Claro, existe um risco nesse ato de entrega. Se você se entregar a um tubarão, vai virar comida.

Mas, se não nos arriscarmos, corremos o risco de continuar sem conexão, incapazes de contribuir plenamente com o resto do mundo.

Quando definimos outra pessoa como narcisista, ou como isso ou aquilo, estamos nos posicionando num lugar superior ao dela. O que devemos fazer, então? Em vez de definir o outro, devemos nos definir. Em vez de dizer "Ele é um tirano", podemos ser mais pessoais e específicos e dizer "Eu me sinto intimidado por ele". Outra forma de pensar nisso é deixar o julgamento de lado. Então, em vez de dizer "Ah, aquilo foi excelente" — o que também nos deixa numa posição superior de julgamento —, podemos atribuir palavras a nossa experiência, como "Fiquei encantado", ou mesmo "Gostei muito" ou "Não me senti à vontade". Em vez de julgar algo como bom ou ruim — fazer nossa experiência subjetiva soar como julgamentos objetivos —, precisamos apenas descrever nossa reação pessoal. Existe uma diferença. Podemos não conseguir fazer isso o tempo todo, mas não quer dizer que não devamos tentar.

> **SABEDORIA DO DIA A DIA**
>
> Mesmo se você tiver perdido contato com a pessoa que o magoou, quando nossa psique se acostuma com ter um inimigo ela vai buscar outros. Isso é um obstáculo que precisa ser superado para criarmos fortes conexões com os outros.

Também me preocupa o tipo de orgulho que nasce do oposto: vergonha. Ou seja, quando nos sentimos orgulhosos por causa de uma ferida do passado, como eu me sentindo orgulhosa de escrever livros e ter uma coluna porque já fui reprovada numa prova de datilografia. Há um quê de vingança nisso, de raiva até. É como se eu quisesse que meus professores já mortos sentissem vergonha de como fizeram com que eu me sentisse. Não existe humildade nisso. Reagimos automaticamente para minimizar nossa vergonha em potencial, como se a vergonha fosse nos aniquilar. Mas se, em vez de reagirmos, refletíssemos de maneira cuidadosa e sincera sobre as situações e nosso papel nelas, perceberíamos que a vergonha não nos mata. Passar da vergonha ao orgulho é o mesmo que passar dos maus-tratos na infância ao narcisismo. Abrir mão do orgulho e adotar a humildade é um pouco como substituir controle e julgamento por um pouco mais de entrega.

MANTENDO UM FORTE SENSO DE INDIVIDUALIDADE

Embora a conexão com os outros seja um desejo humano fundamental, também é importante ter nossos próprios interesses para extrair nosso senso de identidade das coisas de que gostamos, e não apenas dos outros. Isso é particularmente acentuado nos pais. Ser pai ou mãe — ou irmão, namorado ou amigo — não é ser apenas um tipo de pessoa. Nenhum de nós é imutável; os humanos são mais flexíveis e cambiáveis do que isso.

Qualquer relacionamento saudável entre dois adultos envolve se apoiar para encontrar realização fora do relacionamento. Se o cuidado e o apoio vierem apenas numa direção, não é um relacionamento mutuamente amoroso — é uma pessoa na relação sendo o mártir. Estou aqui para dizer: não banque o mártir. Você pode ter ambição e buscar o que o deixaria realizado — e ainda pode fazer isso *e* ficar numa parceria feliz.

Recebi um e-mail de uma mulher que se casou jovem logo depois de um romance de verão. Ela havia acabado de fazer dezessete anos e ele tinha 21. Parecia o maior romance da sua vida, e abriu um mundo de liberdade no qual ela pôde se descobrir — festas, viagens, pessoas maravilhosas e interessantes.

Vinte e poucos anos e dois filhos depois, olho para minha vida e sinto falta daquele verão apaixonado. Queria voltar àquela época tão feliz. Em vez disso, estou cheia de remorso, com um ressentimento borbulhando lá no fundo.

Vivemos isolados, sem amigos. Socializar é caro e, tendo apenas meu salário nos últimos quinze anos, é um dos sacrifícios que fizemos. O trabalho costumava ser meu escape, minha chance de conviver com outras pessoas, mas, desde o começo da pandemia, comecei a trabalhar de casa, o que agora é permanente.

Durante esse período, descobri que não consigo suportar meu marido. Ainda o amo e me preocupo profundamente com ele, mas não aguento ficar perto dele. Sou ambiciosa e quero estar livre para fazer coisas. Ele quer que eu fique presa em casa para servi-lo.

Temos ideias muito diferentes sobre como nossa parceria deveria ser e, por mais que eu converse, explique como me sinto, entenda os sentimentos dele, nada parece mudar.

Tenho medo de que não sejamos mais compatíveis. Não quero perdê-lo, mas por quanto tempo devo continuar sendo infeliz comigo mesma? Dediquei toda a minha vida adulta a ele — a suas necessidades, a fazê-lo feliz. Quando vou ter o direito de ser feliz?

É comum acontecer num relacionamento, especialmente se no começo um assumir o papel de "sou mais velho e mais sábio", que o outro faça de tudo para se encaixar de qualquer forma para agradar o parceiro, perdendo sua identidade e seus próprios desejos e necessidades. É fácil de entender — laços são necessários. Uma sensação de afinidade é valiosíssima. Mas se perder para se encaixar no que os outros pensam que querem de nós pode levar à solidão e à depressão. Precisamos ser autênticos com outras pessoas durante a maior parte do tempo, e não a pessoa que sentimos que devemos ser, ou corremos o risco de nos sentirmos sem apoio, isolados e desconectados. Quando aprendemos a refletir, conseguimos deixar a culpa de lado. Ao nos tornarmos mais autoconscientes, somos capazes de reconhecer nossas próprias necessidades.

Adaptar-se para as outras pessoas é uma habilidade. Algumas precisam aprender a fazer isso e se adaptar mais, enquanto outras precisam se adaptar menos. Se você se adaptar tão completamente ao outro, dedicando mais esforço para entender os sentimentos dele em vez de dar atenção aos seus próprios, não restará nada de você com que ele se relacionar. É ainda mais difícil ter um relacionamento consigo mesmo. Impor limites aos outros é fundamental para ter uma forte relação consigo mesmo. Se as pessoas têm uma boa noção de quais são seus limites e fazem o possível para não os ultrapassar, deixa de ser necessário se definir dizendo explicitamente o que você vai ou não tolerar. Não costumamos impor termos e condições em relacionamentos — sejam eles românticos ou não. Em geral, entendemos instintivamente como não pisar nos calos uns dos outros, mas às vezes os limites precisam ser explicitados.

Você deve decidir onde vai traçar o limite e ser claro sobre isso. Sempre que impuser um limite a alguém, você precisa saber onde está o seu. Não precisa ser cruel, basta estabelecê-lo de maneira gentil e explicar por que precisa dele.

Traçar essa linha na areia pode ser difícil, ainda mais se você não tem muita prática, pois temos muito condicionamento a superar. Na infância, muitos nunca tiveram permissão para ser nada além de obedientes. Isso não é um problema se todos se respeitarem, mas, se falta respeito, isso dá a quem desrespeita uma vantagem injusta. A pessoa com quem você realmente precisa ser gentil é você mesmo, não alguém que parece ignorar seus desejos. Um leitor da minha coluna certa vez deixou um comentário: "Se tiver de escolher entre culpa ou ressentimento, escolha a culpa". Sábias palavras. E é isto que recomendo que você faça: escolha a culpa.

Quando nos apaixonamos, confiamos nessa pessoa e, em certa medida, entregamos nosso poder a ela. Isso é normal: é paixão. Deve ser igualitário, mútuo e amoroso. No entanto, quando a entrega é unilateral, caímos no risco de um controle coercitivo como um ato ou um padrão de atos de agressão, ameaças, humilhação e intimidação usados para prejudicar, punir ou amedrontar a vítima. Precisamos ser capazes de identificar esses sinais, mas o abuso existe como uma dinâmica relacional, e não como uma lista de possíveis comportamentos. É um padrão de prejuízos cometidos com a intenção de controlar o outro e pode assumir muitas formas diferentes, como não vestir algo porque você tem medo de que seu companheiro comece mais uma briga. Também é importante notar que relacionamentos controladores como esse não se limitam a casais; existem também em famílias e amizades.

Quando somos controlados por outra pessoa, isso corrói nosso bem-estar emocional e ficamos presos. A pessoa que mais vemos se torna um espelho para nós, e a imagem que ela reflete é distorcida, corroendo ainda mais nossa confiança e nosso bem-estar. É difícil e, quanto mais tempo dura, mais difícil se torna sair. O controle coercitivo é perigoso e, se isso lhe parecer familiar, procure ajuda. Minha sugestão é traçar um plano e dar um passo de cada vez. Não diga nada ao outro antes de estar em segurança.

Lembre-se: você não nasceu apenas para servir e fazer a coisa certa pelos outros; você pode ser independente e fazer a coisa certa para si mesmo. Quando impõe limites, você consegue que mais necessidades suas sejam atendidas e busca atingir as próprias metas; quando passa a se conhecer, se respeitar e se amar, as pessoas podem mudar em relação a isso, e também aprender a amá-lo e respeitá-lo. Se você se der permissão para viver a vida que deseja sem a autorização de ninguém e conseguir vivê-la, é muito provável que também encontre maior satisfação e proximidade em seus relacionamentos. Você irá descobrir que seus relacionamentos se tornam mais fortes e mais autênticos como consequência.

Voltando à mulher que me escreveu: ela pode se dar a liberdade de viver a vida que deseja, mesmo sem a bênção do marido. Inclusive, ao fazer isso, é muito provável que o ache menos irritante do que acha agora, e pode até voltar a sentir carinho por ele. Ele também pode descobrir que seu mundo não vai cair se ela tiver as próprias necessidades atendidas. Conexão é importante, e precisamos estar conectados com mais do que apenas uma pessoa. Acredito que precisamos de outras pessoas e do mundo como um todo.

> **SABEDORIA DO DIA A DIA**
>
> Se tiver de escolher entre culpa e ressentimento, escolha a culpa. Você vai descobrir que seu mundo não desaba.

Se alguém em nossa vida estiver nos coagindo a nunca mudar as coisas ou nos obrigando a viver uma vida que não queremos, precisamos sair dessa. Mas, se estivermos apenas esperando que concordem conosco, devemos fazer nossa vontade, seja ela qual for. As pessoas têm o direito de escolher se querem ou não ficar conosco. Não estou sugerindo formas de convencê-las, não é essa a questão — a questão é que devemos fazer o que precisamos fazer para viver nossa melhor vida em vez de nos encher de ressentimento. O momento para ser feliz é agora.

Quero deixar claro que não existem formas certas de participar de relacionamentos — são tantas as formas de criar conexões fortes e significativas quanto há combinações de pessoas no mundo. Mas minha esperança é que os exemplos neste capítulo lhe deem uma visão nova de como formar relacionamentos, de como eles já estão dando certo para você e talvez de como você possa decidir fazer algumas mudanças.

Quando um indivíduo tem um problema pessoal, mesmo que de início isso não pareça ter a ver com a maneira como ele se relaciona com os outros, basta olhar um pouco abaixo da superfície para descobrir que os problemas pessoais normalmente são relacionais. Isso vale para ansiedade, depressão e paranoia, porque nos formamos em relacionamentos com os outros. Se pusermos nossas relações num patamar mais funcional e equilibrado, também vamos nos tornar mais funcionais.

Pode ser mais fácil acreditar que o problema são os outros quando estamos negociando nossos relacionamentos, mas, na maioria das vezes, é uma combinação de nós e outros, o que significa que nossas conexões não são tão fortes quanto gostaríamos. Nunca é fácil negociar conflitos em relacionamentos, mas faz parte do processo, e é nisso que desejo que pensemos agora.

2. Como discutimos
Lidando com conflitos em nossa vida pessoal e profissional

Por mais que trabalhemos em ter relacionamentos melhores com os outros e com nós mesmos, não existe relacionamento sem dificuldades e discussões. Aprender a transitar por esses momentos delicados não significa que você vai parar de discordar das pessoas ao seu redor. A realidade é que vai haver conflito em qualquer relacionamento, uma vez que cada um vê a vida com olhos diferentes. Por mais parecidas que duas pessoas sejam, cada uma tem sua história e sua forma particular de encarar as coisas. Cada pessoa vai ter uma experiência individual da mesma situação, e só porque essas experiências são diferentes isso não necessariamente significa que o ponto de vista de uma seja mais ou menos válido do que o de outra.

No entanto, há formas de administrar essas situações de conflito e mal-entendidos com nossos companheiros, amigos, familiares e colegas para que não sejam torturantes. Ao entender como discutimos ou nos adaptamos em excesso, e ao sermos mais conscientes de onde vem a carga emocional em situações de conflito, conseguimos nos tornar mais compassivos e abertos e, com tempo, chegar a resoluções mais fortes.

Pessoas diferentes discutem de maneiras diferentes e por coisas diferentes, mas observei alguns padrões gerais. Ao ler este capítulo, espero que você mantenha seus olhos abertos a quais tipos de discussão lhe parecem mais familiares. Você sente que fica preso em becos sem saída porque acha que uma pessoa está certa e, portanto, a outra está errada? Evita conflitos e tende a deixar tudo para lá, mesmo as coisas que importam muito para você? Recorre a argumentos sobre fatos e lógica em vez de dar ouvidos a sentimentos? Claro, existem cruzamentos entre tipos diferentes de discussões — e, normalmente, uma única discussão é uma combinação desses modos — mas espero que, ao explorá-los, você consiga desenvolver uma autoconsciência maior.

DISCUSSÃO 1: PENSAR, SENTIR, FAZER

Fica mais fácil entender a experiência do outro se você conseguir ver que cada pessoa tem uma forma predominante — ou preferida — de lidar. Em geral, são pensar, sentir ou fazer. Alguns de nós gostam de usar o pensamento para escapar dos problemas. Outros precisam explorar seus sentimentos primeiro. E outros partem direto para a ação. Imagine essas três formas de agir como portas, e o que precisamos saber é quais estão abertas, quais estão fechadas e quais estão trancadas.

Se duas pessoas têm diferentes formas predominantes de lidar, pode ser difícil enfrentar problemas juntas sem discutir ou discordar. Recebi a seguinte carta de uma mulher que me escreveu depois que o marido sofreu um derrame:

> Meu marido é um cientista de sessenta e poucos anos
> e costumava resolver tudo com a mente, mas tem pre-

cisado se esforçar muito fisicamente para voltar a andar. Ele saiu de uma cadeira de rodas no hospital para um andador em casa e agora está usando bengala. Mas fica frustrado com seu progresso lento, pois quer voltar à saúde usando a razão, e não os exercícios. Fico cobrando para que ele faça os exercícios, e me sinto como se fosse a mãe dele. Eu me pego com raiva e rancor às vezes porque ele não compartilha muito comigo do aspecto emocional (ele nunca foi bom nisso antes, então não sei por que imaginei que seria diferente agora), e me sinto muito distante dele.

Tentei conversar sobre expressar seus sentimentos, mas ele não tem interesse. Daí me sinto culpada por ter sentimentos negativos contra ele, porque é ele quem está sofrendo. É um momento exaustivo para nós dois. Ao que parece, ele vai se recuperar completamente, mas está demorando.

Ao ler essa carta, acho que o marido dela parece ter a porta do pensar aberta, a do fazer fechada e a do sentir trancada. Ela, por outro lado, parece ter as portas do sentir e do fazer abertas, mas a do pensar mais fechada. O conflito entre ela e o marido — o ressentimento e a raiva que ela descreve — é resultado de eles terem portas diferentes abertas. Em outras palavras, eles têm formas diferentes de lidar com as coisas.

Quando estamos em situações difíceis, queremos que as pessoas que amamos sejam mais parecidas conosco. Que reajam mais como nós. Mas o marido dessa mulher já está passando por muita coisa e mal consegue dar conta de ser ele mesmo no momento, que dirá dar um salto e abordar a vida e a recuperação como ela abordaria. Lembre-se: somos diferentes, e são essas diferenças que costumam nos atrair.

Temos uma tendência de querer ou admirar qualidades nos outros que são pouco desenvolvidas em nós, mas, quando surge uma crise, ficamos nervosos porque eles não são mais parecidos conosco. É normal nos tornarmos menos flexíveis e mais fechados quando chegam as adversidades da vida — uma doença na família ou problemas no trabalho. É como se entrássemos num modo de emergência e nos tornássemos mais rígidos, porém fixados em nossa mentalidade usual, e nos tornássemos menos capazes de ver a situação do ponto de vista do outro. De volta ao exemplo: quando a mulher entendeu a forma predominante de lidar do marido, conseguiu encontrar uma estratégia de pensar para abrir a porta do fazer — encontrou um profissional de medicina que explicasse como as novas vias neurológicas se formam por meio dos exercícios prescritos, então ele conseguiu se convencer a fazê-los pelo pensar.

Quando uma pessoa está doente ou passando por dificuldades, ficamos tentados a dar conselhos e dizer o que achamos que ela deveria estar fazendo. Acreditamos que, se a outra pessoa fizesse o que dizemos ou visse o que vimos, ela melhoraria. Muitas vezes, nossa motivação vem de não querer sentir tanto por ela — o desamparo, a vulnerabilidade, a dor e a frustração podem nos lembrar de nossos próprios sentimentos. Não gostamos de sentir essas coisas difíceis com eles e, por isso, damos conselhos. No entanto, para muitas pessoas, receber conselhos não solicitados dá a sensação de que estão sendo julgadas ou rejeitadas. Em vez disso, o que queremos é que nos entendam e sintam conosco. Pense no seguinte: se o seu cachorro for atropelado, você preferiria que alguém sentisse por você em seu luto, e não que aconselhasse sobre como segurar uma coleira. Empatia não significa tentar afastar os sentimentos do outro ou resolvê-los: significa sentir o que ele está sentindo. Nem sempre é fácil, ainda mais se a maneira dele de sentir as coisas for diferente da sua. Em nosso exemplo, o paciente tinha dificuldades de compartilhar seus sentimentos, mas conseguia compartilhar seus pensamentos e, depois que a esposa entendeu e empatizou com essa dificuldade, conseguiu resolver o conflito.

Percebi que costuma ser o chororô que provoca impaciência ou até raiva nos pais. É mais fácil optar pela raiva do que permitir que os sentimentos da criança despertem memórias da nossa própria vulnerabilidade infantil ou admitir a vergonha de nos sentirmos impotentes numa situação que somos incapazes de resolver. É mais confortável perseguir ou subestimar em vez de empatizar e aceitar, mas isso

> **SABEDORIA DO DIA A DIA**
>
> Existem três estilos principais de lidar: pensar, sentir e fazer. Se uma pessoa que você ama está passando por um período difícil, tente entender qual é o estilo dela de lidar e então sinta com ela, em vez de tentar lidar com isso a seu próprio modo.

não vai ajudar a criança a entender o que está sentindo. E fazemos o mesmo com os adultos — é por isso que, quando você anuncia que está com um resfriado e se sente péssimo, é mais provável que receba conselhos sobre chás, vitamina C, limão, mel e limpeza nasal do que a solidariedade que estava buscando, e acabe se sentindo mais menosprezado do que consolado.

Não estou dizendo que somos 100% responsáveis pela forma como nos sentimos. Claro, os outros nos impactam e sentimos coisas em resposta, algumas das quais podem nos desagradar. O que estou dizendo é que eles também não são totalmente responsáveis por como se sentem. Reconhecer um papel compartilhado em dificuldades e conflitos, e aceitar que os outros podem ter uma forma de lidar diferente da sua, é o primeiro passo essencial para entender o problema e buscar uma solução.

DISCUSSÃO 2: NÃO SOU EU, É VOCÊ

Observei que muitos de nós abordam as questões nos relacionamentos como se fosse a outra pessoa que tivesse um problema e nós fôssemos meros espectadores. Achamos mais confortável ficar remoendo sobre como as outras pessoas são horríveis em vez de enxergar como estamos contribuindo para a maneira como estamos nos sentindo. Quando nos concentramos no outro, isso funciona como um desvio de nós mesmos e de nossos sentimentos e necessidades. Veja a situação a seguir, de um homem de meia-idade que me escreveu uma carta bastante controlada sobre seu casamento:

> Minha esposa e eu temos 51 anos e estamos juntos há trinta. Ela está passando por sintomas da perimenopausa e estou tentando apoiá-la o máximo possível. Sempre fui sensível às necessidades dela — dores menstruais, parto, depressão pós-parto e três anos de anorexia —, e pesquisei todo o possível sobre perimenopausa. Adoro minha esposa e a acho atraente, mas sei que intimidade não é algo que ela deseja no momento, e respeito isso.
> Nossa vida sexual nunca foi regular durante o casamento, mas ainda a desejo e gostaria de ter alguma forma de intimidade quando ela estiver pronta. Não quero mais ninguém e minha válvula de escape é a masturbação quando necessário, embora a culpa ado-

lescente continue lá! Ainda há alguma esperança de retomarmos um relacionamento sexual quando for a hora certa? Não quero simplesmente aceitar que nossa relação física possa ter acabado.

De meu ponto de vista, é esse homem que tem um problema — falta de sexo —, mas ele acredita que quem tem o problema é a esposa, embora ela aparente estar tranquila com a falta de intimidade. Inclusive, ele parece estar acostumado a ver a esposa como toda uma série de problemas, ao mesmo tempo que não reconhece os próprios. Eu me pergunto o que, em sua criação, fez com que, mesmo aos 51 anos, ele tenha reservas em relação à masturbação, por exemplo. Também há um ar de "quero resolver você por mim" em sua tentativa de ajudar a esposa que imagino que ela note. Ela pode se sentir infantilizada por ele cuidar da pesquisa e se tornar um especialista nela, como se fosse um espécime a ser analisado — algo

> **SABEDORIA DO DIA A DIA**
>
> Como somos responsáveis por nós mesmos, e não pelos outros, se quisermos que algo mude, é nossa responsabilidade nos mudar. Os outros vão ou não responder a essa mudança, e isso não está em nosso controle.

sobre o que estar certo, e não uma pessoa com quem se relacionar —, e isso pode estar diminuindo a atração sexual por ele. É raro que alguém queira ser corrigido, e essa estratégia costuma impor distância entre duas pessoas.

Ao tentar explicar a alguém como você se sente a respeito de um problema, evite dizer como acha que ela age. Não quero pôr palavras na sua boca — use suas próprias palavras —, mas concentre-se em como se sente com ela e como gostaria que seu relacionamento melhorasse. Portanto, em vez de "Ela é irritante" ou "Ele não está escutando", passe a comentar "Eu fico irritado" ou "Não me sinto ouvido", assumindo responsabilidade por suas reações e notando que, só porque a outra pessoa não está fazendo o que você quer que ela faça, isso não significa que haja algo de errado com ela. Esse hábito vai ajudá-lo a assumir a responsabilidade por sua reação em vez de culpar o outro.

É muito mais fácil ver o que precisa ser resolvido no outro do que entender o que em nós pode estar limitando nossos relacionamentos. Precisamos ter consciência de que, se continuamos nos sentindo da mesma forma em grupos diferentes, a questão deve estar em nós, e não nos outros. Certo, pode ser que não seja você, talvez seja o outro, mas, se é *sempre* o outro e *nunca* você, é provável que seja sim você. Vamos analisar o próximo exemplo, de uma mulher que não consegue manter amizade com mulheres:

> Todas as mulheres de quem me torno amiga, desde criança, acabam se afastando.
>
> Fico quebrando a cabeça para entender por que essas amizades com mulheres sempre fracassam. Não acho que eu tenha feito nada de errado que justificasse o afastamento delas. Inclusive, apoiei essas mulheres ao longo dos anos quando estiveram em situações delicadas. Não me faltam amigos homens; esse afastamento só acontece com mulheres.
>
> Tenho grandes expectativas para mim e opiniões sobre independência feminina, mas nunca comentei nada de negativo sobre a vida de minhas amigas. Eu buscava encorajá-las e dizer a elas como eram inteligentes, atraentes e engraçadas. Poderiam ter inveja de mim?
>
> Não vejo o que posso fazer de diferente.

Como isso continua acontecendo, acho provável que o problema seja ela, sim. É um padrão: algo está acontecendo, e acontece fora da sua consciência. Ela não está fazendo nada de errado intencionalmente e, se você também enfrenta esse tipo de situação, será necessário um trabalho de investigação. Muitas pessoas, como essa mulher, acham os relacionamentos com um gênero mais difícil do que com o outro. Em terapia, sempre peço que os pacientes me contem em detalhes como vivenciaram sua relação com a mãe, se o problema for com mulheres, ou com o pai, se for com homens. Às vezes, a partir disso, conseguimos descobrir se essa relação se tornou um manual para as interações posteriores.

Nesse exemplo, acho que a mulher que me escreveu talvez seja vítima da lenda clichê de que as meninas fofocam, reclamam e são fracas. Por outro lado, ouvimos a ideia de que os meninos são diretos e fortes. Tanto meninas como meninos internalizam essas mensagens. A sociedade valoriza mais os homens: se, sendo uma menina, você escutar que é "um dos meninos", isso é recebido como um elogio e faz com que você se sinta superior às outras. A maneira como a mulher me descreveu ter ajudado as amigas não me pareceu a troca usual de apoio mútuo. Talvez ela tenha dado às outras mulheres a impressão de quem diz: "Seja mais como eu, siga minha atitude, e você vai ter o que tenho". Outras pessoas podem escutar isso como um "Não seja você, seja eu". Será que ela conseguia aceitar os homens como eles são, mas dava a impressão de que as mulheres precisavam mudar? Ou será que, automaticamente, de maneira inconsciente, buscasse amigas a quem pudesse se sentir superior? Certo grau de misoginia internalizada pode ser pressentida pelas outras.

O que quer que esteja acontecendo para causar o problema, é provável que seja resultado do ambiente da sua infância. A boa notícia é que, embora não possamos mudar os outros, temos o poder de mudar como reagimos e respondemos, e isso pode mudar as situações em que nos encontramos. Não temos como controlar as outras pessoas, só temos como nos controlar e, se quisermos nos destravar em nossos relacionamentos, precisamos começar mudando nossas ações e nossos comportamentos. É muito mais fácil, mas menos proveitoso, nos concentrar em como as outras pessoas são irritantes do que entender o que estamos fazendo que está causando problemas. Quando fazemos isso, descobrimos um padrão diferente: mais útil e amoroso.

DISCUSSÃO 3: MOCINHO CONTRA BANDIDO

No meio de uma discussão, é fácil nos vermos como o mocinho e a outra pessoa como o bandido e, por isso, selecionamos naturalmente evidências que se encaixem nessa narrativa. Intensificamos nosso sentimento de desgosto esmiuçando provas que sustentem nossos palpites e desabafamos com pessoas que validem nosso ponto de vista. Isso faz com que nos sintamos certos ou até justificados e, desse modo, construímos uma lente negativa pela qual ver o outro — transformando-o no vilão. Esse jogo de "Eu estou certo, você está errado" é algo que vejo em muitas situações diferentes, desde pais passando por um divórcio a discordâncias entre colegas de trabalho, de casais cuidando das tarefas de casa a amizades que acabaram mal.

É um comportamento humano normal querer ter razão. Estar errado traz consigo a vergonha, o julgamento e a culpa — sentimentos que preferimos evitar. Mas esse desejo de estar certo e pensar que somos o mocinho muitas vezes nos leva a ficar presos num ciclo de conflito, em vez de nos abrir para uma resolução. Os ressentimentos crescem, mas os dois ficam paralisados. Ninguém muda e ninguém desiste. Como uma pessoa sábia já disse, ou você está certo ou está casado, mas não pode estar os dois. Acredito que isso se aplica a todo tipo de relação.

Recebi recentemente a seguinte carta de um jovem que comprou briga com a família sobre uma conversa inapropriada:

> Durante uma refeição, minha irmã mais velha fez uma piada xenofóbica. Eu disse que ela era racista e que queria sair dali. Ela ficou brava e indignada, negou que fosse racista e disse que sua piada era só um bom trocadilho. Mesmo incomodado, fui convencido a ficar porque não queria estragar o dia, mas minha irmã e eu não nos falamos desde então. Minha mãe sugeriu que eu desse um tempo dos encontros familiares.
>
> Quando éramos crianças, nós nos dávamos bem, então não é como se isso fizesse parte de uma dinâmica competitiva ou coisa do tipo, mas, hoje em dia, há essas diferenças fundamentais entre mim, de um lado, e minha mãe e minha irmã de outro, as quais posso resumir dizendo que leio o *Guardian* [um jornal mais progressista] e moro numa cidade grande, enquanto elas leem o *Daily Mail* [um jornal de tendência conservadora] e vivem no interior. Apesar disso, costumamos nos dar bem, e gostaria muito de superar essas diferenças, mas não sei como.

Como sociedade, precisamos apoiar uns aos outros em público e, mais importante, em momentos privados como esse. Essa coisa chamada sociedade existe, ao contrário do que dizia Thatcher, e apontar o preconceito quando o vemos combate o ódio e ajuda a comunidade. Portanto, parabéns a esse homem.

A piada, que não vou repetir aqui para não ofender ninguém, era sim racista. Mas o problema do jovem não é se a piada foi ofensiva ou inocente. A verdadeira questão não é que ele chamou a atenção da irmã, mas a forma como fez isso. Quando sabemos que estamos certos e sabemos que milhões de pessoas concordariam com nossa posição, é muito fácil nos sentirmos donos da verdade e superiores. Inconscientemente, queremos provar que somos mais inteligentes, sobretudo para um irmão mais velho que, tradicionalmente, é para ser mais maduro, por melhor que tenha sido a relação na infância. Esse homem estava provando suas credenciais progressistas e caiu na armadilha de ver a irmã pela lente atrapalhada da política de esquerda e direita. Somos bem mais complicados do que isso.

A jornada até esse ponto dá a entender que, em determinado estágio, ele aprendeu a pensar de modo diferente de como foi criado, o que sugere que poderia entender por que a irmã talvez não veja os motivos de a "piada" ser ofensiva. Em vez de supor que ela estava sendo mal-intencionada ou que odiasse as pessoas de quem parecia estar zombando, talvez ela apenas não tivesse parado para pensar. Em sua bolha, ela pode nunca ter pensado em como se sente uma minoria cansada de ser estereotipada, caçoada e vitimizada.

Precisamos tentar ver as coisas do ponto de vista do outro. Quando não levamos isso em conta, mas apenas partimos do pressuposto da superioridade moral e rotulamos alguém, isso também é um comportamento que nos torna o mocinho e o outro o bandido. Rotule a piada mas não a pessoa: qualquer um se sentiria humilhado se fosse rotulado e questionado em público e, se nos sentimos humilhados, é menos provável darmos ouvidos ao que está sendo dito e levar isso em conta, e mais provável que entremos em negação ou tentemos nos defender. No caso desse homem, foi uma oportunidade perdida de educar, o que é uma pena.

Em vez disso, eu o aconselharia a dizer como a piada o atingiu. Ele poderia ter dito algo como: "É um bom trocadilho, mas, se minha família estivesse em outra parte do mundo, isso me deixaria triste, nervoso ou indesejado, e esse é o motivo pelo qual eu nunca conseguiria repetir essa piada. Pode parecer inofensiva, como um pequeno corte, mas, quando você já sofreu uma centena de pequenos cortes, uma ferida horrível se abre". E poderia ter continuado: "Sei que você é uma boa pessoa, mas, se alguém te escutar fazendo essa piada, vai achar que você é racista".

> **SABEDORIA DO DIA A DIA**
>
> Quando expressamos nossa opinião de maneira humilde, nos sentimos paradoxalmente mais confiantes, e com isso passamos uma imagem menos presunçosa ao defender nossos argumentos.

Piadas racistas não são legais, atacar uma irmã que não pensou antes de falar também não — um erro não justifica o outro. Quando nos sentimos presos num ciclo de conflito, a primeira tarefa é deixar de lado essa dinâmica de uma pessoa sendo a boa e a outra a má.

Como outro exemplo, vamos passar para esta jovem que me escreveu quando estava noiva. A emoção da cerimônia iminente e a ideia da vida de casada com seu companheiro era estragada por uma relação difícil com a família do noivo. Sua história não é exclusiva: sempre recebo cartas de gente em conflito com os sogros.

A mãe do meu noivo é tóxica. Criticou todas as decisões que fiz em relação ao meu casamento. Escolhemos um espaço deprimente só para agradá-la. Meu noivo e eu queríamos contratar um food truck para um lanche da tarde, mas ela disse que "odeia" comida estrangeira. A solução dela? Contratar um cozinheiro do internato local (a comida é terrível: pense em sanduíches de presunto secos).
Com a covid, não pudemos ter nosso casamento como inicialmente planejado. Fiquei grata por não precisar lidar com a família dele. Meu noivo quer se casar agora, mas eu não, se os pais dele estiverem presentes. Quero me casar às escondidas: eu o amo muito e quero me casar com ele. Mas ele se recusa a se casar sem a presença dos pais. Sua mãe e sua irmã me acusaram de roubá-lo delas. Isso me magoou e nunca vou perdoá-las: nunca impedi meu companheiro de ir a um evento familiar nem nada do tipo. Ele me diz que não tenho como mudá-las, que preciso aceitar isso e ser gentil com elas. Desculpe, mas não. Ninguém parece se importar com o que eu, a noiva, penso. Estou num impasse.

Quando não nos sentimos seguros no mundo, precisamos de inimigos. Então encontramos alguns para voltar a nos sentir no controle. Essa carga emocional dentro de nós precisa de pessoas que possamos considerar erradas para nos tornar certos. Aceitar os outros e tentar entender em vez de julgar pode dar um pouco a impressão de que você está perdendo ou desistindo, mas juro que não é o caso.
Essa tarefa fica mais fácil quando nos tornamos conscientes de como estamos interpretando o comportamento

do outro. No meio de uma discussão, tenha uma visão global da situação: veja-se lá embaixo, tentando travar essa batalha, e não tome nenhum lado. O que você nota? Veja se consegue fazer isso sem pensar em quem está certo e quem está errado, mas apenas observar o desenrolar das coisas enquanto sobrevoa a situação. Agora que tem certo distanciamento, consegue ver qual papel representa nessa cena. Como é vista de longe? Quais são os medos ali? Como cada um está lidando com eles? Como diferem em relação ao que temem? Como se assemelham? Imagino que todos tenham sentimentos e cada um esteja lidando com eles da maneira que sabe. Tenha curiosidade sobre os sentimentos dos outros e sobre os seus.

    Você pode pensar: *por que devo ser a pessoa que leva os sentimentos da outra pessoa em consideração? Por que ela não se importa em saber como me sinto?* Precisa ser você porque você é a única pessoa sobre quem tem controle. O comportamento do outro pode mudar quando o seu muda, mas não há garantias. Não é útil interpretar tudo que a outra pessoa diz como um ataque contra você porque, assim, você vai querer contra-atacar. Voltando à jovem noiva, eu sugeriria que, em vez de pensar "Não impedi que ele fosse a nenhuma ocasião familiar", ela tentasse "Posso entender que deva ser assustador para a família dele sentir que vão ver com menos frequência um homem tão maravilhoso, uma pessoa tão importante. Vou tentar dividi-lo".

    Se olhar para as ações dos outros sob uma luz positiva em vez de negativa, você consegue encontrar sentidos diferentes nelas. Por exemplo, outra noiva me escreveu com uma questão parecida, exceto que, nesse caso, a futura sogra não tinha se oferecido para ajudar no casamento e a jovem interpretou isso como um ato de egoísmo. Contudo, em vez de egoísmo, o distanciamento poderia ser interpretado como não querer interferir. Em outras palavras, busque as emoções por trás do que os outros falam e tente ter empatia por esses sentimentos.

> **SABEDORIA DO DIA A DIA**
>
> É comum cairmos na armadilha de interpretar comportamentos pelo que significariam se *nós* estivéssemos fazendo o que o outro está fazendo. O comportamento do outro tem um sentido diferente do que teria se nós estivéssemos fazendo aquilo.

Uma forma prática de fazer isso é tentar imaginar como é ser a outra pessoa, ter tido a vida e a criação dela e valorizar o que ela fez com isso. Ponha-se no lugar da pessoa com quem está discutindo e tente se imaginar na pele dela. Como é estar nesse lugar? Então se imagine no mesmo lugar com ela. Diga: "Sou [o nome da outra pessoa], estou aqui com [seu nome], o que sinto em meu corpo?". Imagine como é ser ela e como ela deve se sentir, e então sinta *com* ela.

Quando duas pessoas assumem posições polarizadas, ambas precisam exercitar um pouco de dar e receber para chegar a um meio-termo. Nem sempre é fácil. Aceitar as pessoas nem sempre é fácil. Mas é a única forma de seguir em frente.

DISCUSSÃO 4: FATOS CONTRA SENTIMENTOS

Os conflitos costumam ser mais sobre como nos sentimos do que sobre fatos. Isso está no cerne de como discutimos e, para muitos, exige uma grande mudança na forma como se veem e como veem os outros. Há muito menos lógica em qualquer um dos pensamentos do que gostaríamos de acreditar, e a lógica quase nunca resolve disputas. É bem mais fácil buscar uma solução quando há compreensão mútua de sentimentos. Claro, às vezes os fatos têm primazia, mas, se os sentimentos não forem reconhecidos, é menos provável que os fatos sejam respeitados. Isso significa que, em vez de tentar "vencer" usando a lógica, é preciso tentar entender escutando os sentimentos, tanto os seus como os do outro, pois esse é o caminho para remover os obstáculos.

Quando nos concentramos em lógica em vez de sentimentos, podemos cair num jogo que gosto de chamar de tênis de fatos: duas pessoas atiram razões e fatos no campo oponente para atingir o outro, encontrando mais e mais com que atingir a pessoa. O objetivo se torna marcar pontos em vez de encontrar uma solução com que seja possível trabalhar.

Vamos pegar um exemplo de uma discussão comum: uma pessoa demora mais que a outra para se arrumar. É isto o que acontece quando o problema se torna um tênis de fatos:

SACADOR: Você demora uma vida para se arrumar, então, se não começar a se arrumar agora, vamos nos atrasar para ver meus pais. *15-0*

DEVOLVEDOR: Não é verdade, só demoro meia hora para me vestir e vinte minutos para chegar lá, então temos tempo. *15-15*

SACADOR: Na semana passada, você demorou quarenta e cinco minutos quando fomos jantar com os meus amigos. *30-15*

DEVOLVEDOR: Na semana passada eu precisava lavar o cabelo, e desta vez não preciso. *30-30*

SACADOR: Mas, se sairmos muito em cima da hora, pode ter trânsito e vamos nos atrasar. Já nos atrasamos da última vez. *40-30*

DEVOLVEDOR: Dei uma olhada na internet e não tem trânsito nenhum hoje. *Empate*

E por aí vai. Em algum momento, uma das pessoas vai ficar sem motivos e, portanto, será considerada a "perdedora". Embora a discussão seja resolvida superficialmente, elas podem continuar a se sentir irritadas e ressentidas. E, se o "vencedor" se sentir bem, vai ser à custa do companheiro.

Se deixássemos a lógica de lado e, em vez disso, nos concentrássemos nos sentimentos, a mesma conversa seria mais ou menos assim:

PESSOA 1: Fico ansioso quando saímos de casa muito em cima da hora para ver meus pais. Sei que meu pai fica irritado e mal-humorado com isso.

PESSOA 2: Ah, desculpa, querido, não gosto que você se sinta ansioso e entendo que se atrasar para ver seus pais não é bom para eles. Quero terminar esse trabalho para estar com sua família mais tarde.

PESSOA 1: É, você está com muita coisa na cabeça. Que tal eu ajudar passando seu vestido e já deixá-lo pronto, para que você possa se arrumar mais rápido quando acabar?

Escutar as diferenças e lidar com elas tem a ver com entender e ceder, e não vencer. Em vez de condenar os outros com julgamentos, nossa vida seria melhor se permanecêssemos abertos, com curiosidade. Para ter o melhor resultado, busque a compreensão e a empatia em vez de julgamento e vitória. É muito melhor se conseguirmos pensar nas diferenças não como estou certo, ele está errado, vencer e perder, mas como uma oportunidade para adquirir uma compreensão do ponto de vista do outro e comunicar como nos sentimos sobre o nosso. Deixe de lado o certo e o errado, não busque culpar e/ou conseguir um pedido de desculpa, mas procure entender. Estar certo é superestimado.

> **SABEDORIA DO DIA A DIA**
>
> Tentar "vencer" discussões com fatos e lógica não ajuda e leva a um jogo prejudicial de certo e errado. Em vez de julgamento e vitória, desenvolva compreensão e empatia.

DISCUSSÃO 5: O TRIÂNGULO DO DRAMA DE KARPMAN

Muitos terapeutas usam algo chamado triângulo do drama de Karpman para entender o que está acontecendo numa relação. O objetivo é deixar de lado o que se está discutindo e, em vez disso, examinar os padrões de relacionamento um com o outro. Imagine um triângulo: a ponta de baixo é classificada como Vítima, e as outras duas como Perseguidor e Salvador.

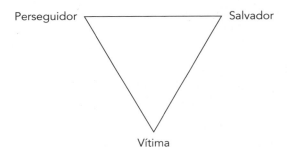

O objetivo do triângulo do drama de Karpman é chegar à raiz do conflito e entender que as discussões costumam ser menos sobre a questão real em pauta e mais sobre as formas como sentimos que estamos sendo tratados pelo outro. É por isso que discussões sobre questões menores e aparentemente mais insignificantes podem acabar se transformando em situações acaloradas.

Para ilustrar o triângulo em ação, vamos dar uma olhada na história a seguir. A companheira deste homem sofre de depressão, mas se recusa a buscar ajuda ou tomar os medicamentos. Frustrado e desesperado, o marido me escreveu.

> Minha esposa sofre de depressão há décadas, mas só foi ao médico uma vez, parou de tomar os medicamentos depois de poucos meses e se recusa a voltar. Ela se nega a falar com qualquer pessoa ou buscar ajuda profissional ou da família — nem mesmo minha.
>
> Nos últimos dois anos, a covid teve um forte impacto em sua saúde mental e, além disso, seu comportamento agora está me afetando muitíssimo. No passado, diziam que eu era muito positivo e feliz. Definitivamente não sou assim agora.
>
> Eu me esforço para fazer as coisas certas, e não sou perfeito — mas nada que faço é bom o bastante para ela. Ela fala comigo como se eu fosse um idiota. Não é da minha natureza ser agressivo, mas às vezes preciso me defender. Ela está sempre fazendo com que me sinta culpado e acredite que tudo é falha minha.
>
> Ela não tem nenhum amigo próximo nem nenhum hobby, e parece se ressentir quando faço as coisas, mas ela não me acompanha.

No momento, os dois estão dançando ao redor do triângulo do Salvador, Perseguidor e Vítima. O homem que me escreveu está assumindo o papel de Salvador ao tentar persuadir a esposa a buscar ajuda para sua depressão. Ela então sente isso como uma perseguição, fica defensiva e o persegue, e então ele passa a ser a Vítima. É um ciclo comum no qual muitas pessoas — casais, familiares, amigos — caem ao discordar.

Então como escapar dessas três funções que não ajudam em nada? Podemos mudar a forma como reagimos aos outros e ver o que acontece ou podemos sair. Se escolhermos a primeira opção, em primeiro lugar, devemos aprender a não perseguir: um bom caminho é nos proibir de usar frases como "Você sempre...", "Você é...", "Você precisa...". Em outras palavras, podemos falar frases com "eu", que definem nossa própria experiência, e não frases com "você". Evite usar palavras como "precisa". Diga como algo faz com que você se sinta e, então, explique qual comportamento preferiria. Esse hábito vai ajudá-lo a assumir a responsabilidade pela sua reação em vez de culpar o outro, gerando uma conversa menos combativa.

> **SABEDORIA DO DIA A DIA**
>
> Fique atento à linguagem. Uma boa forma de começar é falar frases com "eu", que definem sua própria experiência, e não frases com "você", que são um julgamento do outro.

A maneira como dizemos as coisas é tão importante quanto o que dizemos. Suspenda o julgamento por completo e tenha curiosidade sobre os outros e sobre si mesmo. Não é necessário condenar nem elogiar ninguém, basta se interessar pelas pessoas. Não as defina e não dê conselhos não solicitados, porque esses tipos de comentário correm o risco de ser vistos como persecutórios, por mais que o sentimento por trás deles seja bem-intencionado. Se você conseguir dizer o que está incomodando de uma forma isenta de julgamento, as outras pessoas vão conseguir escutar, em vez de interpretar como um ataque, e vocês vão poder trabalhar juntos por uma solução sem piorar a situação.

Em segundo lugar, quando estamos nos esforçando demais para fazer a coisa certa pelos outros, caímos no papel de Salvador. Entramos nesse modo quando fazemos as coisas por pessoas capazes de agir por si mesmas. Elas podem sentir isso como se estivessem sendo infantilizadas, caladas e afastadas, em vez de cuidadas. Vejo esse comportamento particularmente em homens. Em nossa cultura, valorizamos os homens e meninos como cavaleiros de armadura e subvalorizamos as meninas e mulheres como donzelas em apuros, então é fácil partir do princípio de que é papel do homem resolver os problemas. Mas não é. Não tente ser perfeito, basta ser você.

Em terceiro lugar, ao bancar a vítima, você cede o seu poder. Reconheça quando está bancando o mártir e pare. Se você se permitir ser posto para baixo por alguém, vai se ressentir dessa pessoa por isso. Se não permitir, não vai. E sabe o que dizem sobre ressentimento? "É como tomar veneno e esperar que o inimigo morra." Vítimas reais são indefesas e não têm como assumir a responsabilidade pela própria situação. Bancar a vítima é diferente — você escolhe não assumir a responsabilidade.

Mesmo quando outra pessoa o menospreza, você não precisa bancar a vítima da perseguição. Se sou insultada, posso desarmar a situação em vez de ficar agressiva. Por exemplo, em resposta ao insulto "Você é idiota", eu poderia dizer: "Ah, você me acha idiota? Obrigada por avisar". Em outras palavras, não concorde nem discorde do que está sendo dito, mas mostre que você escutou. Ecoar o que ouviu de modo a não ignorar a pessoa vai acalmar as coisas. Também acredito que, ao repetir isso de volta para ela, estou de certa forma lhe devolvendo isso. Dessa forma, sinto que a frase é sobre ela, e não necessariamente sobre mim.

Reconhecer os sentimentos do outro, por mais desconfortáveis que nos deixem, é um passo importante para descobrir onde estão as diferenças. Em vez de ir contra alguém, vá na mesma direção e ponha suas ações e seu comportamento em palavras. Quando nos sentimos ouvidos, não precisamos gritar mais alto. Voltando ao nosso exemplo, se a esposa falar algo como "Os médicos não têm como me ajudar", o marido não tem de discutir. É provável que contradizê-la de imediato deixe os dois nervosos, com poucas chances de resolução. Em vez disso, ele pode responder com "Ah, você acha que os médicos não podem ajudar". Eles vão seguir na mesma direção, sentindo-se vistos e compreendidos, e a partir daí começar a buscar soluções. Depois de terem concordado que ela acredita que os médicos não têm como ajudar, ele pode dizer: "Eu ficaria menos ansioso se você desse mais uma chance aos médicos". Isso vai ser sentido pela esposa de forma diferente de um "Você precisa", que seria mais combativo, porque ele estaria se autodefinindo e assumindo responsabilidade pela sua reação, em vez de jogar a culpa na esposa. Quando agimos para sermos mais vulneráveis e nos abrirmos num relacionamento, a outra pessoa normalmente segue o exemplo.

DISCUSSÃO 6: EVITAÇÃO DE CONFLITOS

Ceder não significa concordar em tudo. Isso causa ressentimento e desconexão. Se o conflito for evitado por completo, não for conversado nem ventilado, um relacionamento enfraquece; quando os assuntos se tornam tabus, há cada vez menos sobre o que conversar e áreas de solidão se infiltram, onde cada pessoa permanece invisível. Se não ventilarmos nossas diferenças, a relação simplesmente desaparece. Não estou dizendo que alguns dos conflitos não devam ser deixados de lado — se for guardar ressentimento ou rancor, é melhor deixar para lá —, mas pegue o exemplo de um marido e uma esposa. Se a mulher apenas guarda tudo que seu marido faz e lhe diz e reprime esses sentimentos, sua casa pode até ser pacífica, mas, com o tempo, ela vai se sentir isolada e não ouvida. O medo de discutir causa menos intimidade e faz com que você se sinta amargurado, e não melhor. Parte desse trabalho envolve impor limites como os discutidos no capítulo 1, mas outro elemento crucial é se permitir sentir suas emoções de maneira integral, ainda que não necessariamente aja de acordo com elas.

Vamos dar uma olhada no seguinte exemplo de um homem que me escreveu depois de descobrir que a esposa estava tendo um caso:

> Meu casamento de seis anos chegou ao fim depois que minha ex-esposa começou a ter um caso. Na terapia de casal, descobri que, quando nosso filho mais velho entrou na escola, ela começou a chamar a atenção de alguns dos pais. Isso a estimulou, mas também a deixou consciente de que não podia retribuir porque estava numa relação monogâmica. Então co-

meçou a se ressentir de mim e do nosso casamento — não é que ela quisesse outro relacionamento, mas sentir a adrenalina inebriante de um relacionamento novo. Ela se apaixonou por um pai e eles começaram a ter um caso. Fizemos tanto terapia de casal como individual. Minha ex logo se sentiu "julgada" e parou de ir. Quando fiquei chateado pelo fato de nosso casamento estar desmoronando, ela disse que compreendia, mas depois me falou que eu só estava fazendo "chantagem emocional".

Mantivemos a civilidade pelo bem das crianças. Não quero ser um ex amargurado. Mas tenho muita raiva contida — o comportamento e as ações dela causaram muito trauma, não apenas em mim, mas na ex do agora companheiro dela, nos pais dela e em nossos filhos e amigos. Mas reprimo isso e me culpo por me sentir dessa forma. Minha terapeuta me desafiou em relação a isso e disse: "Tudo que ouvimos é como você é compreensivo, mas por que não sente raiva?". Minha ex diz que precisa viver a verdade dela e ser fiel a seus sentimentos, que tentou seu melhor e é apenas humana.

A raiva que sinto é basicamente uma birra por não conseguir aquilo que quero. E esse pensamento me apavora, então a reprimo. Como lidar com a raiva mal resolvida que você se culpa por sentir, que dirá demonstrar?

Para muita gente como esse homem, a raiva equivale a algo "mau". Normalmente a associamos a birra, o que é igualar raiva a infantilidade, falta de controle de impulsos ou comportamento mimado. Em geral, quando gritam conosco, sentimos medo. Não ouvimos as palavras que estão sendo gritadas, apenas que são altas e assustadoras. Temos sentimentos de choque e adrenalina como se fôssemos submetidos à violência física, e não apenas verbal. Ninguém se sente seguro ao ouvir um grito e, portanto, não consegue se abrir para falar. E é muito natural atacar em resposta quando você sente que está sendo atacado.

A raiva tem má reputação. Mas não é o sentimento que é ruim. É o comportamento que às vezes acompanha esse sentimento que pode ser destrutivo ou assustador. Muitas vezes, os adultos fazem os filhos sentirem que estão errados por estarem com raiva, tristes ou com qualquer emoção negativa. O que os adultos realmente desaprovam é o comportamento que as crianças exibem quando estão com raiva: os gritos, chutes e birras. Bebês e crianças pequenas, como qualquer pessoa que já viveu perto sabe, não são lá muito bons em articular o que sentem, mas são ótimos em agir com base em suas emoções: mordem, gritam, jogam-se no chão e batem, e geralmente tentam fazer de tudo para escapar de situações que não os agradem. Isso fica claro quando um bebê joga os brinquedos para fora do carrinho; ele está fazendo seu melhor para demonstrar como se sente.

Às vezes, a forma como uma criança se sente é inconveniente para nós, mas não devemos ficar tentados a contrariar o que ela sente ou declarar que é boba por sentir aquilo. Como queremos que nossos filhos sejam felizes, eles acham que estão nos decepcionando se não forem. Isso significa que é mais difícil para eles falarem conosco se acreditarem que não vão ser levados a sério. Nossa urgência em recuperar o equilíbrio pode fazer com que eles se sintam inaceitáveis se tiverem emoções desconfortáveis ou pensamentos estranhos e virem que não têm espaço para trabalhá-los. Se invalidarmos seus sentimentos e, portanto, ensinarmos a ignorar essas emoções, nós os colocamos em risco. Não estou dizendo que não devamos abrigar o que sentem ou consolá-los, tampouco que nossas ações devam ser ditadas pelos sentimentos deles, mas sim que precisamos reconhecê-los e levá-los a sério. A validação também ensina as crianças a conseguirem empatizar com a experiência dos outros, de modo que aprendem a aceitar que a forma como uma pessoa se sente pode ser diferente de outra.

Se isso não acontece com uma criança, ela cresce sem saber como expressar o que sente porque foi ensinada — como o homem no exemplo parece ter sido ensinado — que é inaceitável e infantil por ter esse sentimento. Se esse homem tivesse sido ajudado a encontrar formas aceitáveis de expressar sua raiva enquanto crescia, ele poderia não estar em posição de não saber o que fazer com seus sentimentos agora.

Se não nos ensinaram a lidar com a raiva, nunca é tarde para começar. A ideia não é gritar ou descontar na pessoa ou coisa que deixou você com raiva, mas sim expressá-la em palavras. Pôr uma emoção em palavras é o que chamamos na terapia de "processar sentimentos". Quando consegue conversar calmamente sobre como se sente, você tem controle do sentimento, em vez de ele ter controle sobre você. Se não criarmos o hábito de fazer isso, continuaremos agindo a partir do sentimento, ou o reprimindo dentro de nós, onde ele pode nos machucar.

Quando ocorre uma descarga elétrica de raiva, ela normalmente se origina no passado, e não no presente. Ter consciência disso faz parte de respeitar seus sentimentos em qualquer situação de conflito. Você pode ficar furioso quando alguém fala que você está errado, e essa raiva é uma reação baseada em todas as vezes que você foi diminuído ou manipulado no passado, não apenas nesse caso em particular. No exemplo, esse homem mantém sua raiva numa caixa e está sentado firme na tampa. Pode ser que tenha medo de que, se abrir, ela exploda. Mas essa não é uma sensação boa — ele parece sentir que isso o está corroendo por dentro — e é insustentável. Ele vai ter de se ajudar deixando que a raiva saia um pouco de cada vez.

Administrar a raiva significa tanto expressá-la como controlá-la. Muita gente aprende a anestesiar as emoções porque ter sentimentos significa ter dor em algum momento. O problema é que não dá para anestesiar apenas a dor e a mágoa sem também anestesiar a alegria. Se ignorar um sentimento, você vai estar ignorando todos. Não há problema em ficar chateado quando não consegue o que quer. Você tem direito de sentir isso; não tem direito de magoar ninguém por causa disso, mas não quer dizer que precise deixar dentro de você, num lugar que lhe faz mal. Não há necessidade de juntar culpa à raiva dizendo a si mesmo que você não tem direito de sentir raiva. Isso só vai aumentar seu fardo.

Se tiver raiva de uma situação ou pessoa e se sentir incapaz de falar com calma, pegue uma almofada para bater ou gritar, e grite para valer. Berre! Pode ser que você precise gritar e berrar num lugar seguro com uma testemunha empática e encorajadora. Uma vez fui até um campo e gritei com uma árvore inocente: ela não se importou, o que ajudou muito. Você também pode escrever uma carta dizendo por que está furioso. Liste todas as injustiças, por que é errado, por que não é culpa sua, como está furioso, mas não envie. Queime a carta e observe as brasas saírem voando. Você pode precisar escrever outra a cada dia por um mês, mas é bom processar os sentimentos em palavras. Tente uma academia de boxe e desconte no saco de pancadas. Faça uma birra num espaço seguro, depois faça outra; está tudo certo, você vai controlá-la, você pode botar para fora um pouco de cada vez.

É só quando você se dá espaço para sentir toda a extensão dos seus sentimentos que consegue descrever calmamente aos outros como e por que está com raiva e se abrir para encarar as coisas de outro ponto de vista. Esse homem tinha tanto direito de expressar como estava com raiva quanto sua ex-esposa acreditava ter direito a seus sentimentos. Espero tê-lo convencido de que a raiva não é infantil e que podemos expressá-la de uma forma não assustadora, mas eficaz.

DISCUSSÃO 7: QUANDO O IMPULSO TOMA CONTA

Podemos nos tornar muito bons em processar e administrar nossos sentimentos, mas às vezes o impulso toma conta e agimos de formas das quais nos arrependemos e dizemos coisas que não queríamos dizer. O correspondente mais jovem que tive até hoje foi um menino de nove anos que me escreveu com ajuda da mãe. Gostei muito da forma como os dois me procuraram e que ela não agiu pelas costas dele. Isso exigiu honestidade e abertura.

> Um tempo atrás, meu filho machucou fisicamente um amiguinho da escola. Ele parou quando a professora o repreendeu. O amigo superou, perdoou meu filho e até o convidou para sua festa de aniversário, mas isso está assombrando meu menino, que ainda se sente mal e muito ansioso por causa do episódio. O que aconteceu foi muito diferente do seu comportamento habitual e ele não sabe explicar por que fez aquilo.

Esta é a carta de meu filho para você:
Sou um menino de nove anos. Alguns meses atrás, machuquei meu amigo apertando o pescoço dele com muita força. Não sei por quê. Talvez eu estivesse cansado demais. Agora me arrependo profundamente disso e me sinto culpado quase todo dia desde então. Pedi desculpas e não paro de pedir desculpas. O menino que machuquei me perdoou logo, mas parece que eu não consigo me perdoar. O que não ajuda é que não sou religioso, então não posso falar com Deus e pedir perdão a Ele. Depois que isso aconteceu, fiquei muito triste e quieto, mas esses sentimentos ficaram guardados dentro de mim. Às vezes, quando penso nisso, minha barriga dói. Estou escrevendo na esperança de que você me ensine a seguir em frente.

Sim, um Deus todo-poderoso, com poderes de perdão, tornaria as coisas mais simples, mas muitos de nós não são religiosos, então precisamos de mais ideias. O que falei para ele, assim como o que falo para muitos que me abordam com problemas parecidos, é que ninguém é bom o tempo todo. Vergonha e culpa são sentimentos desconfortáveis, mas muito bons, porque nos lembram de não fazer aquilo de novo. Às vezes experimentamos, o experimento é um desastre e aprendemos que essa não é uma boa forma de fazer as coisas.

Embora só tenhamos um cérebro, podemos pensar que temos dois: um animal e um racional. Em emergências, por exemplo, quando atravessamos a rua sem olhar para os dois lados, é nosso cérebro animal que nos faz pular de volta para a calçada antes de sermos atropelados pelo ônibus. Precisamos do cérebro animal porque às vezes temos que agir antes de conseguir raciocinar. Quando somos bebês e crianças, somos praticamente apenas cérebro animal e, então, enquanto crescemos, aprendemos quando estar em modo animal e quando estar em modo racional. Às vezes, o cérebro animal leva a melhor. Passa a ser confuso quando precisamos ter uma resposta mais ponderada. Crianças têm permissão de cometer esses erros. Erros nos ajudam a aprender. É por isso que, quando somos menores, há adultos cuidando de nós, porque eles sabem que temos lapsos. Esse menino e seu amigo ficaram bem porque havia uma professora para mandar parar e, quando ela mandou, ele parou. Ele soube no mesmo instante — quando a professora o lembrou — que não podia machucar o amigo. Para mim, essa é uma vitória. Não estou preocupada com esse menino; acho que sua professora e sua mãe vão continuar a ajudá-lo a aprender quando é apropriado que o cérebro animal tome conta e quando não.

Quando ele disse que estava "cansado demais", desconfio que esse motivo tenha vindo de um adulto. Adultos adoram essa explicação quando algo mais complicado pode ter acontecido. Ele estava sendo importunado? Ou talvez estivesse sob pressão e a única forma como conseguiu expressar isso ou encontrar um escape na hora foi aplicando a mesma pressão no pescoço do amigo. Uma boa ideia é expressar os sentimentos em palavras antes de eles começarem a parecer uma emergência para o nosso cérebro animal. Pode ser difícil, mas falar alivia a pressão.

O que a história desse menino também mostra é que pode ser muito difícil nos perdoarmos quando fazemos algo

> **SABEDORIA DO DIA A DIA**
>
> Não precisamos ter tudo esclarecido antes de começarmos a falar — às vezes, só descobrimos o que estamos sentindo ou o que sabemos conversando com os outros.

de que nos arrependemos depois. Somos humanos, e humanos cometem erros, e é assim que aprendemos. Mesmo adultos entram inapropriadamente no cérebro animal às vezes. Aprender a controlar a impulsividade não é natural para todos. O segredo é se concentrar em desenvolver as habilidades necessárias nestas áreas: tolerar frustração, flexibilidade, resolução de problemas e aprender a ver e sentir as coisas do ponto de vista dos outros. Algumas pessoas aprendem essas habilidades naturalmente enquanto crescem e outras precisam fazer isso na vida adulta. Aprender a refletir e só depois reagir, em vez de apenas reagir, é um processo lento que exige prática e paciência e, às vezes, também ajuda profissional. Assim como desenvolver novos músculos na academia, desenvolver as novas vias necessárias no seu cérebro também leva tempo.

Se notar que está se preocupando e se afligindo depois de uma discussão, não se entregue à preocupação, mas deixe uma parte de você de olho nela. A parte de você que está de olho — é seu cérebro racional — pode dizer à parte preocupada que não há problema em se inquietar e se sentir culpada se quiser, mas não é necessário. E não há problema em dar uma chorada e/ou uns gritos e botar esses sentimentos para fora (com uma árvore ou uma pessoa compreensiva que tenha dado consentimento).

Outra observação sobre se preocupar e se inquietar: há uma diferença entre pensamentos e pensar. Você vai ter milhares de pensamentos por dia. Fixar-se num pensamento o transforma em pensar; você o fertiliza. Portanto, concentre-se nos bons e deixe os outros passarem. É assim que se começa a controlar a ansiedade.

BUSQUE A ASSERTIVIDADE

Há um motivo para a frase "Não é o que você diz, mas como você diz" ser usada com tanta frequência, e isso é porque ela é um fenômeno bem observado. A coisa maravilhosa sobre ser cuidadoso com a forma como você se comunica é que isso é algo dentro de seu poder. Você não controla como as pessoas agem ou se comportam, mas controla como escolhe falar com elas a respeito disso.

A questão de como encontrar um equilíbrio entre rígido e combativo demais ou descontraído e relaxado surge sobretudo quando se trata de conversas e relacionamentos profissionais. Há uma diferença entre, de um lado, assumir a responsabilidade pela sua reação e estar consciente do seu papel na dinâmica e, de outro, fazer de tudo para agradar os demais. Vamos analisar esse exemplo de uma CEO que tinha fobia por conflito:

Preciso de ajuda com a minha carreira. Meu peito fica apertado toda manhã — eu me sinto sobrecarregada, incapaz. Tudo é um confronto e passo por aquilo e penso ok, e então tenho de enfrentar aquilo tudo de novo no dia seguinte, infinitamente.
 Sinto que não mereço essa promoção. Deve ter sido por causa de uma ligação familiar. Dirijo uma grande organização. Eu me sinto uma fraude e não faço ideia de como mandar as pessoas fazerem as coisas, simplesmente não sou uma líder natural nessa área. Quero "agradar" as pessoas para que elas façam as coisas. Nunca "comando", quase sempre imploro — uma espécie de "Por favor, por favor, se for possível, você poderia...", como um filhotinho de cachorro. É exaustivo. Não sou ruim

do ponto de vista estratégico; nesse nível, acho que sou ok — o problema é todo o resto.

 Passo metade do tempo me preocupando se aborreci alguém, se falei algo de errado ou se fui mal compreendida; e se consigo fazer essa ou aquela pessoa gostar de mim. É tão exaustivo. Acho que essa tem sido minha filosofia no geral. Também não acho que seja uma estratégia boa para a vida, mas parece que não tenho alternativa. Acho que nunca cresci. Tentei coaching executivo, mas não funcionou.

Se exagerarmos em tentar agradar os outros, é provável que isso tenha o efeito contrário do que gostaríamos, pois pode ser irritante ou bajulador demais. Quando nos esforçamos para fazer a coisa certa pelo outro, normalmente perdemos nosso chão e nossa razão no processo. No entanto, não querer ou não conseguir considerar os sentimentos ou pensamentos do outro também não é bom.

 Uma forma simples de encontrar esse espaço entre comandar e implorar é pensar em como você gostaria que lhe pedissem algo. Você não gostaria que falassem de um jeito tão enrolado que você não soubesse se aquilo é ou não importante. Também não gostaria de ser comandado como se fosse algum tipo de robô ou escravo sem escolha ou cérebro próprio. Experimente uma comunicação mais direta. Para isso, mais uma vez dê preferência a frases que comecem com "eu". Portanto, em vez de dizer "Você está sempre atrasado para reuniões", tente "Podemos perder clientes se você deixá-los esperando. Preciso que chegue a essas reuniões cinco minutos antes". A regra é: exponha a consequência do comportamento da pessoa e, então, diga qual comportamento você preferiria.

Se precisar que algo seja feito por uma pessoa, dê a ela um pouco de escolha, mas não demais. Isso também vale fora do trabalho. Conseguimos resultados melhores se dissermos a um funcionário "Precisamos conversar sobre isso até o fim do dia. É melhor pessoalmente ou por telefone?", em vez de dizer "Vou ter uma conversa sobre isso com você" ou implorar "Vamos talvez bater um papinho quando tiver um segundo?". Não estamos questionando se a conversa vai acontecer, mas estamos dando a escolha de como ela vai acontecer para que o outro se sinta mais confortável.

O problema de ser mulher é que somos treinadas pela nossa criação e nossa cultura a ser mais agradáveis do que assertivas. Isso transparece, em primeiro lugar, em como falamos sobre nós mesmas, conosco e com os outros. Voltando ao exemplo, ser assertivo significa mudar frases como "Não sou ruim do ponto de vista estratégico; nesse nível, acho que sou ok — o problema é todo o resto" para "Minha força é ser capaz de traçar estratégias". Ao praticar o meio-termo entre comandar e implorar, você vai se sentir mais adulto. Se, como a autora da carta, você sofrer da síndrome de impostora, isso vai ajudar a diminuir essa questão. Buscar o respeito mútuo em vez de simplesmente tentar ser apreciado também vai fazer com que você e os outros se sintam melhor. Os melhores líderes não são aqueles que dominam, mas aqueles que escutam, respeitam e consideram o retorno dos outros quando decidem.

Assim como todos os demais conselhos deste capítulo — diga tudo com frases que comecem com "eu" em vez de "você", evite palavras como "precisa" e "tem de", deixe de lado o jogo do "estou certo e você está errado" —, grande parte do que é aplicável a lidar com conflitos com colegas de trabalho também se aplica a como você fala com sua sogra, seu esposo, seu melhor amigo ou seu neto. Afinal, pessoas são pessoas. E aprender a ser assertivo vai ajudá-lo em todas as áreas da vida.

CÂMBIO E DESLIGO

Até agora, este capítulo foi sobre ajudar os relacionamentos a passarem por momentos delicados. Às vezes, porém, não vale a pena resolver o conflito quando é improdutivo salvar a relação, e é melhor simplesmente dar o fora. Cortar laços raramente é tão destrutivo quanto a maioria de nós imagina, e pode ser o melhor caminho para seguir em frente (a menos que seja seu hábito cortar laços sempre e, nesse caso, é recomendável olhar para esse padrão). A maioria de nós sabe disso em relação a términos com um parceiro romântico, mas acho que é importante lembrar que terminar não se limita a relacionamentos afetivos — podemos priorizar nossa felicidade em qualquer relação, mesmo que isso signifique encerrá-la. Você pode se desapontar com o outro, mas diferenças irreconciliáveis muitas vezes significam que sua relação não tem como continuar. Nem todos são feitos para estar em nossa vida para sempre, e não há problema em reconhecer e agir a partir disso.

Vejamos história a seguir, de uma jovem que foi convidada por uma amiga para ser sua madrinha:

> Faz cinco anos que ela está noiva. A cerimônia toda teve de ser replanejada duas vezes por causa da pandemia e agora está marcada para o ano que vem.
>
> Quando ela ficou noiva, eu era uma das suas únicas amigas. Nos conhecemos desde a adolescência e

saíamos para beber e curtir. Ela começou a trabalhar e se tornou mais ajuizada e ambiciosa, conheceu seu noivo e se estabilizou. Fui para a faculdade, conheci muita gente com quem criei laços e fomos nos distanciando. Faz mais de quatro anos que ela me pediu para ser madrinha e acho que foi porque, na época, não havia muitas outras pessoas a quem ela pudesse pedir. Desde então, nossa amizade continua a esmaecer. Ela sempre se recusa a me encontrar durante a semana por causa do trabalho e não gosta mais de sair nos fins de semana. Vou à casa dela para tomar chá umas duas vezes por ano. Ela fala sobre os planos do casamento, botamos a conversa mais ou menos em dia e depois vou embora. Passamos meses sem nos falar. Não temos nenhum interesse em comum nem outros amigos do mesmo círculo. Nunca nem conheci o noivo dela. Não dedicamos muito tempo ou esforço à nossa amizade. Infelizmente, ela dá muito valor à cerimônia perfeita de casamento, outra coisa em que discordamos. Meu dilema é: estou trabalhando num emprego mal remunerado e não tenho como pagar por uma despedida de solteira de quatro dias no exterior. Quero me esquivar dessa responsabilidade. Não quero ir à despedida de solteira, ser madrinha, nem mesmo ir ao casamento. Meus amigos me falam para sorrir e aceitar, que são só alguns dias, mas nunca senti tanta vontade de escapar de uma situação.

Todos tivemos pessoas em nossa vida que só querem ficar conosco nos termos delas — nos horários e lugares que lhes convêm. Não correspondem ao esforço que dedicamos à relação, mas esperam que continuemos a fazer de tudo por elas. Nesse caso, a expectativa é que nossa heroína cumpra a promessa de ser a madrinha perfeita, o que enche sua vida de pavor o tempo todo. Se sair dessa situação, ela vai conseguir mais do que poupar dinheiro e alguns dias: também vai se livrar de meses dessa agonia. Será horrível ser a "pessoa ruim" e o processo de afastamento será desagradável, mas o alívio de não ter de passar por essa farsa vai compensar.

Se eu fosse ela, escreveria para a noiva:

> Querida X, mil desculpas, sei que prometi anos atrás que seria sua madrinha, e uma boa pessoa seria fiel a sua promessa. Mas agora que seu casamento se aproxima, percebo que não quero ser madrinha, não quero participar da despedida de solteira e, inclusive, não quero ir ao casamento. Sei que ao desistir não estou sendo uma excelente amiga e peço desculpas. Não é apenas por falta de dinheiro, embora também seja, mas também porque não quero estar lá. Não posso me forçar e não quero estragar seu momento fingindo entusiasmo. Espero que tenha um dia maravilhoso e que me perdoe. Com amor, Y.

Pode ser difícil acreditar que alguém que já foi importante para nós agora é alguém com quem tenhamos muito menos em comum, mas acontece. Se você precisar de permissão para cortar alguém de sua vida porque ela a enche de pavor, estou dando essa permissão agora. Você não precisa de justificativas, seu pavor já é motivo suficiente.

> **SABEDORIA DO DIA A DIA**
>
> Às vezes, ser autêntico significa não sermos tão gentis quanto gostaríamos. Se isso faz com que você se sinta culpado, lembre-se de que culpa é melhor do que ressentimento.

Há uma forte possibilidade de que a outra pessoa não veja isso com os mesmos olhos e fique magoada. Mas um de vocês vai sofrer — ou você com o pavor ou ela com a mágoa. Liberte-se e livre a pessoa que causa esse sentimento de ter um refém na vida dela.

RUPTURA E REPARAÇÃO

Se você se considera traído ou sente que testaram sua confiança, pode ser difícil perdoar quem o magoou e deixar para trás o ressentimento que se acumulou como consequência. A história a seguir é um bom exemplo. A mulher que me escreveu foi casada por quarenta anos, mas ficou chocada ao descobrir que fazia trinta anos que o marido tinha um caso.

Peguei o celular dele pensando que era o meu e vi uma mensagem de uma mulher desconhecida. Ele estava trocando mensagens, fazendo planos, tudo com uma linguagem afetuosa e amorosa. Quando o confrontei, ele me disse que eles tiveram um caso de cinco anos cerca de trinta anos atrás. Disse que a culpa o fez terminar, por mais abalada que ela tenha ficado. Ele jura que nunca quis me deixar. Os dois retomaram o contato, embora como uma amizade, e não como uma relação sexual.

Ele costumava visitá-la, mas nega que algo sexual tenha acontecido, e insiste que nenhum dos dois queria pôr nosso casamento em risco. Estou devastada. Vi um lado dele que nunca conheci. Ele insistiu que era apenas amizade, mas nas mensagens ele dizia que a amava, algo que ele não me diz há anos.

Faz muito tempo que nossa relação não envolve toque físico. Sempre pensei que ele só não fosse uma pessoa fisicamente afetuosa, mas, mesmo durante o trauma brutal das últimas semanas, ele não me abraçou. Disse a ele que contato físico é importante para mim, mas é impossível.

Sinto que o relacionamento deles tirou muita coisa do nosso. Ele concorda e pediu desculpas. Temos setenta e poucos anos, com filhos e netos. A ideia de terminar o casamento e estressar nossa família parece destrutiva. Concordamos em tentar reparar as coisas, mas parte de mim se pergunta se estou maluca em ficar com alguém que foi infiel, tanto sexual como emocionalmente, por tanto tempo. Estou em choque. Estou sendo idiota, fraca e patética? Casais conseguem se recuperar de situações assim?

É importante observar que a pergunta dela não foi se eles deveriam terminar, mas sim se é possível para eles se recuperarem. Em primeiro lugar, quero deixar claro que ela não está sendo idiota, fraca ou patética. E sim, alguns casais se recuperam de situações como a dela, mas pode ser como escalar o Everest. Às vezes, o parceiro traído sofre de transtorno de estresse pós-traumático, já que seu bem-estar emocional foi ameaçado e sua sensação de segurança foi comprometida.

Seria difícil pôr uma pedra sobre uma traição como essa sem resolver tudo — e provavelmente com um terapeuta de casal. Como a pessoa traída, essa mulher vai precisar trabalhar o trauma da traição, e todas as vezes que duvidou de seus instintos e seu conceito de realidade. Ela vai precisar de muito tempo para essa parte do processo, ao passo que, para o marido, vai parecer interminável. Mas é importante que os dois se dediquem a esse processo. Eles podem limitar as discussões, garantindo que só aconteçam durante a terapia e em outros momentos determinados, para que não os sobrecarreguem e para que os dois tenham estrutura e apoio para essas conversas necessárias.

Quando duas pessoas numa relação — seja uma parceria romântica, uma amizade ou familiares próximos — passam por um momento de ruptura, é provável que precisem aprender formas novas de se comunicar e de estar juntas se quiserem reparar o que se partiu. É provável que tenham de encontrar formas novas de lidar com o conflito e de construir confiança. Mais importante, elas vão precisar ser proativas sobre estarem abertas e compartilhar emoções, incluindo raiva, desejos e pensamentos para permitir que uma nova proximidade e um novo afeto se consolidem. Elas vão precisar encontrar formas de transferir o foco do que está errado em seu relacionamento para o que está certo — aqueles fragmentos de amor. Vão precisar criar o hábito de ter esses comportamentos amorosos antes de começarem a lidar com qualquer queixa para restabelecer a confiança. E é incrível que, quando decidimos agir com amor e perdão, fiquemos mais amorosos também. Os sentimentos seguem o comportamento. Vai requerer prática. Conversas íntimas levam a estar na mesma página emocionalmente, o que é a base para qualquer relação.

Pode ser igualmente difícil ser a pessoa que causou a ruptura. A carta a seguir vem de um homem que se mudou para o exterior e agora está afastado da filha.

Sou um homem divorciado de 68 anos. Quinze anos atrás, saí do Reino Unido para viver no exterior. Minha filha tinha 21 anos na época, havia saído da universidade e dividia uma casa perto de onde sua mãe morava. Foi a decisão certa para mim e me trouxe muito sucesso na vida profissional. Abri várias empresas prósperas e uma instituição internacional de caridade que agora administro. Minha vida pessoal também prosperou depois de deixar o Reino Unido, e me casei de novo.

Quando me mudei, minha filha e eu não estávamos nos dando muito bem porque ela tinha se unido à mãe contra mim. Eu estava deprimido porque a vida no Reino Unido não ia bem, e a mãe dela também tinha questões de saúde mental que faziam com que às vezes não estivesse disponível para nossa filha. Por isso, em vez de avisá-la assim que tomei a decisão de me mudar, contei a ela na semana anterior à mudança, com tudo já encaixotado e arrumado. Lembro-me disso agora e me arrependo amargamente de como contei a ela. Fico triste em dizer que nunca nos reconciliamos, e esse é o maior arrependimento da minha vida.

Acho que o motivo do afastamento não foi eu ter me mudado, mas não ter contado no tempo certo. Lidei mal com isso para ela e para mim mesmo, com consequências terríveis. Posso imaginar que ela deva ter se sentido abandonada, mas ela nunca atendia quando eu ligava, então não sei.

Amo muito minha vida agora, mas me arrependo de não ter minha filha nela. Eu a amava intensamente. Não sei como enfrentar esse afastamento e isso está me corroendo. Sinto que ela me apagou. Minha esposa acha que eu deveria tentar retomar o contato, mas não faço ideia de como e, a cada ano que passa, parece ainda mais impossível.

É muito triste que esse homem não veja a filha. Apesar da vida bem-sucedida, é obviamente uma grande perda que os dois não se falem mais.

Não existe um estilo em particular de comunicação ou um tipo específico de conflito que cause o distanciamento. Em casos de ruptura, as partes costumam acreditar que ela foi provocada por motivos completamente diferentes. Por exemplo, os pais quase sempre relatam que a causa deve ter sido o divórcio ou acusações injustas feitas sobre eles pelo ex, mas os filhos adultos normalmente citam abuso, negligência ou sentir que não eram vistos, aceitos ou importantes aos olhos dos pais.

Embora a filha desse homem possa não ter gostado da forma como a mudança foi anunciada (talvez ela tivesse preferido saber do processo conforme ele acontecia ou talvez quisesse que ele se interessasse mais por ela e pela vida dela), é improvável que esse seja o motivo de ela não querer ter qualquer relação com ele agora. Como o distanciamento costuma acontecer depois de um acontecimento, como o anúncio de um divórcio — ou, no caso desse homem, o anúncio de uma mudança para o exterior —, tendemos a pensar que é esse incidente que causou a ruptura, mas um único incidente quase nunca é o motivo principal. Normalmente é um acúmulo de coisas e a forma como a outra pessoa sentiu, interpretou e encarou essas coisas.

Se eu estivesse no lugar desse homem — ou numa situação em que pessoas que eu amo decidiram romper comigo —, escreveria ou falaria com minha filha sobre a tristeza causada pelo distanciamento. Diria que gostaria de conhecer o ponto de vista dela e pediria ajuda para entender qual tinha sido sua experiência e como ela a interpretou. Se ela respondesse, eu tentaria ver todos os acontecimentos e sentimentos que a levaram àquele ponto. Então lhe repetiria o que ela me disse, só para ter certeza de que ela soubesse que ouvi e que não fiquei na defensiva. Qualquer atitude defensiva reacenderia a raiva, o que não ajudaria em nada.

Estar certo não é a melhor forma de reparar uma ruptura. A melhor forma é escutar, entender e mostrar que você entendeu. Depois que a pessoa com quem você estiver tentando se reconectar se sentir compreendida — e só então, e só se ela quiser saber —, eu diria qual foi minha experiência. Quais eram meus arrependimentos e do que não me arrependo. Quer ela responda à minha abertura quer não, eu garantiria que nunca parei de pensar nela. Se fosse provável que eu morresse primeiro e ela fosse muito importante para mim, como a filha desse homem é obviamente para ele, eu lhe deixaria um relato da minha vida, dinheiro e uma lembrança para ela em meu testamento.

Nunca é tarde demais para reparar uma ruptura num relacionamento. Nenhuma ação vem com garantia do que quer que seja, mas podemos tentar. Podemos abrir a porta. Pode não acontecer nada. Mas é mais provável que não aconteça se ficarmos atrás de uma porta fechada.

Cada pessoa tem seu próprio estilo de discussão. Os estudos de caso deste capítulo não são feitos para serem usados como modelos, porque cada relacionamento é diferente, assim como cada discussão.

No entanto, espero que, ao identificar alguns desses padrões, você reconheça se a maneira como você se comunica e se relaciona com os outros está ou não funcionando. Se não estiver, espero que este capítulo tenha dado algumas ideias de como você pode mudar sua abordagem. O objetivo não é evitar brigas nem ganhar todas as discussões: é fazer progresso, chegar à compreensão mútua e ao meio-termo e, assim, desenvolver relações mais fortes e autênticas.

3. Como mudamos
Encarando o novo, por bem ou por mal

Nossa rotina nos ilude: pensamos que a vida pode se manter serena ou que existe um "para sempre", mas, na realidade, só existe uma constante, que é a mudança. Bebês se tornam crianças, que se tornam adultos, que envelhecem, e então tudo acaba. Não importa qual trajetória sinuosa sua vida assuma, a mudança é a única regra universal que não abre exceções.

Uma pessoa mentalmente saudável aceita isso e se adapta de acordo com o fluxo da sua vida e o das pessoas ao seu redor. Mas isso não torna a mudança algo sempre fácil de aceitar ou simples de adotar. Às vezes, temos pavor da mudança e não conseguimos impedir que ela aconteça e, às vezes, nós a desejamos mas não sabemos como fazê-la acontecer. Podemos nos sentir empacados na vida ou querer quebrar velhos hábitos e criar novos.

Este capítulo é destinado a fazê-lo olhar a mudança nos olhos e entender qual é a sua atitude em relação a ela. Ele irá ajudá-lo a descobrir se e como você quer mudar sua perspectiva e oferecerá algumas sugestões para pôr isso em prática. Mais do que tudo, espero que lhe dê confiança e tranquilidade para lidar com o novo e o desconhecido.

COMO DESEMPACAR

Recebo muitos e-mails sobre como as outras pessoas agem mal e como tornam nossa vida difícil e perguntando o que podemos fazer para resolver essas outras pessoas terríveis. Minha resposta costuma ser decepcionante para quem me escreve porque digo que, se quisermos mudar, temos de começar com nós mesmos. Precisamos trazer algum grau de autoconsciência a como estamos nos fazendo sentir e nos comportar diante disso.

Um bom exemplo é parar um momento para notar sua respiração. Ao se tornar consciente de como está respirando, é provável que você diminua a velocidade da respiração e, ao diminuí-la, é provável que se sinta mais calmo. Esse princípio se aplica a muito mais do que a respiração. Não é possível fazer nenhuma mudança antes de ter consciência de como você organiza seu corpo, seus pensamentos, seus sistemas de crenças e como impacta os outros e se relaciona com eles. É preciso tempo, raciocínio e prática para fazer uma mudança que melhore sua vida.

Quando desejamos que algo seja diferente, tendemos a querer que essa mudança aconteça fora de nós — seja na forma de um salvador, como um príncipe encantado, ganhar na loteria ou que nosso namorado mude de personalidade. E isso é normal. Mas não é porque a passividade é normal que é viável. Recebi a carta a seguir de um homem que se sentia preso no passado, obcecado por uma antiga paixão e incapaz de seguir em frente. Ele acha mais fácil culpar os outros pela forma como se sente em vez de ter curiosidade sobre seu próprio papel nisso tudo.

Quarenta anos atrás, quando eu estava saindo da escola e entrando na universidade, tive um relacionamento intenso com uma moça. Ela terminou de maneira lenta e arrastada, o que me deixou acabado. Tive um surto, que praticamente ninguém notou. Prossegui os estudos com dificuldade e então a vida seguiu em frente, embora o trauma nunca tenha me abandonado. Perdi o que prometia ser uma boa carreira acadêmica e sempre fui assombrado pelo que "poderia ter sido". Ironicamente, meu amor perdido seguiu em frente e teve uma carreira brilhante. Faz décadas que entro e saio da terapia com depressão.

Trinta anos atrás, conheci a mulher com quem estou casado agora. Temos uma vida muito feliz e dois filhos maravilhosos — ela é uma ótima mãe. Um ano atrás, meu amor perdido entrou em contato, o que me causou uma crise imensa. Falei com ela, mas não nos encontramos. No entanto, isso me permitiu lidar com questões que me acompanham há quarenta anos, e agora estou num momento muito mais feliz.

Minha esposa, por outro lado, está convencida de que é minha segunda opção. Jurei que contaria a ela sempre que houvesse contato por mensagem ou e-mail, o que tenho feito, embora toda vez seja difícil. Ela sempre se aborrece, e tenho a impressão de que fica me espionando. Quase nunca o contato parte de mim. Minha ex não demonstrou nenhum interesse de levar as coisas além disso: está solteira e insiste que não quer ser nenhuma destruidora de lares. Quero manter a amizade, pois ela é a única pessoa que ainda conheço daquele período da minha vida. Lidar com o trauma do passado e formar uma nova relação com ela tem sido extremamente positivo para mim. Mas as reações da minha esposa são insuportáveis. Se eu terminasse, estaria mais uma vez perdendo alguém que amo.

Se eu fosse a esposa desse homem, não ficaria nada tranquila por ele pensar na amiga do passado como seu "amor perdido". Mas, além disso, ele parece não estar assumindo a responsabilidade pela situação em que sua vida se encontra nem por nenhuma das suas atitudes. Ele está culpando as pessoas ao redor pela forma como se sente e pelo que acontece com ele, como se fosse alguém a quem as coisas simplesmente acontecem. A única garantia que tem de que não vai retomar a relação é que *ela* não quer ser vista como uma destruidora de lares. É como se ele pensasse em si mesmo como não tendo nenhum poder de ação. Ele precisa se perguntar como chegou a esse lugar, em vez de se ver como uma bola de praia jogada entre sua ex-namorada e sua esposa.

Quando as pessoas estão empacadas, normalmente percebo que elas não sabem que têm uma escolha sobre como reagem ao mundo. A vida simplesmente parece acontecer com elas sem que tenham de assumir a responsabilidade pelo que fazem ou deixam de fazer, bem como pelas consequências. É como se estivessem presas no banco de trás da vida, infelizes porque o motorista não as está levando aonde querem ir. É verdade que às vezes coisas fantásticas simplesmente acontecem: as pessoas ganham sim na loteria (se comprarem um bilhete) ou podem sim estar no lugar certo na hora certa. Algumas coisas são pura sorte — como nascer num país desenvolvido ou receber uma educação de primeira —, mas, embora a sorte sem dúvida ajude, não há como depender apenas dela.

Algumas experiências fazem com que desenvolvamos uma mentalidade de vítima. Isso passa a parecer parte da nossa identidade, mas é só uma adaptação ao ambiente e pode ser modificado. Experiências do passado podem nos tornar tão hipervigilantes que começamos a supor que tudo é sobre nós, o que reforça nossa visão negativa dos outros e da nossa vida.

Um dos indicadores do modo vítima é dar uma lista de razões pelas quais nenhuma solução que nos oferecem vai funcionar, de modo que as pessoas que tentam ajudar ficam confusas ou frustradas. Não existem vantagens em ser uma vítima, mas existe em estar empacado no modo vítima, como não ter de assumir responsabilidade pelas coisas que acontecem na nossa vida e culpar as ações dos outros por tudo de ruim. Nesses momentos, devemos lembrar que, embora não sejamos responsáveis pelo comportamento das outras pessoas, somos responsáveis por como reagimos a elas. Somos capazes de mudar nossas respostas, nossas prioridades, nossos sistemas de crenças. Penso no psiquiatra austríaco Viktor Frankl, que ficou num campo de concentração durante a Segunda Guerra Mundial. Mesmo em seu momento mais vulnerável, ele percebeu que tinha poder sobre sua mente e para onde ele a direcionava. Ele tinha poder para encontrar sentido em sua vida e controlar quais pensamentos permitia que entrassem, em vez de deixar que os captores invadissem seu cérebro.

Se apenas culparmos os outros por como nos sentimos ou pelo que aconteceu, se botarmos a culpa na má sorte, não confrontamos o que estamos fazendo para nos manter empacados e permanecemos fechados ao que poderíamos fazer para desempacar. Precisamos continuar aprendendo, nos adaptando e trabalhando com os altos e baixos das circunstâncias da vida em vez de nos desapontar quando objetos inanimados não cedem a nossa vontade. Como o palestrante motivacional Ed Foreman diz: "Se sempre fizermos o que sempre fizemos, vamos ter o resultado que sempre tivemos". Incorporamos esses hábitos e eles fazem a consciência e a força de vontade mudarem.

Todos desenvolvemos padrões de comportamento em resposta a nossos ambientes iniciais. Inconscientemente, desenvolvemos algumas boas estratégias que nos ajudam a sobreviver ou até prosperar nesses ambientes — mas essas defesas se tornam datadas quando avançamos na vida, como de casa para a escola ou da universidade para o trabalho. Você pode, por exemplo, ter sobrevivido à infância ficando quieto e invisível porque aprendeu desde cedo que essa era a forma de não apanhar ou ouvir gritos. Agora, essa estratégia de passar despercebido e falar pouco impede que você seja notado no trabalho, fazendo com que não consiga aquela promoção que deseja, e não é a melhor para encontrar amigos ou conhecer um companheiro. Ou talvez seu mecanismo de defesa infantil tenha sido fazer piada de tudo porque isso o tornava popular e protegia seus verdadeiros sentimentos. Há um momento e um lugar para piadas, e se essa for sua única via de comunicação é provável que perca alguns aspectos dos relacionamentos.

O primeiro passo para desempacar é desenvolver uma consciência maior de quais são esses padrões que estão te

> **SABEDORIA DO DIA A DIA**
>
> A resposta curta a como desempacar é assumindo responsabilidade por nossas atitudes e nosso sistema de crenças. Identifique seus padrões de comportamento, note se são uma resposta ao passado e, então, comece a reagir às circunstâncias como elas são agora.

deixando empacado. Às vezes eles são difíceis de identificar, pois se tornam uma parte de nós e nem percebemos que nos baseamos neles, mas precisamos mudá-los para crescer e nos adaptar à vida conforme ela avança. Com sorte, temos bons amigos que os apontam gentilmente para nós. Depois de identificarmos esses padrões, podemos começar a reagir ao nosso presente como ele *é*, em vez de como reagiríamos a ele no passado.

Voltando ao homem que me escreveu, está na hora de ele pensar sobre como seus padrões e hábitos estão contribuindo para que continue empacado. Ele precisa desafiar sua mentalidade de vítima e se libertar daquele adolescente magoado, apaixonado e fantasioso que o está mantendo prisioneiro por quarenta anos. A única pessoa capaz de libertá-lo dessa prisão é ele mesmo. Ele pode deixar de ser uma bola de praia jogada entre seu "amor perdido" e sua esposa e, em vez disso, decidir o que deseja para sua vida. Seja ficar com a esposa, com seu "amor perdido" ou com nenhuma das duas, ele pode se sentar no banco do motorista e avançar nessa direção. A desvantagem, claro, é que ele precisa assumir a responsabilidade pelas consequências das suas decisões em vez de voltar ao seu padrão de responsabilizar outras pessoas.

Outra maneira de reconhecer que estamos presos num velho padrão é quando nosso mantra autodestrutivo nos deixa com medo. O medo é o que nos impede de levantar a voz quando fomos condicionados a ficar em silêncio, ou o que nos impede de ser autênticos e então nos escondemos atrás de uma piada. Temos medo de abrir mão das nossas defesas e criamos desculpas para mantê-las. Um paciente me disse certa vez que tentar uma reação nova era como tentar atravessar o Grand Canyon com um único passo. Para ele, pôr o pé para fora da beirada era como pular para a morte. Mas depois me contou que, na realidade, assim que finalmente ergueu o pé, a outra margem correu para se aproximar, e ele pisou em terra firme.

Vamos atrás do que precisamos e queremos quando entendemos o que está nos impedindo de avançar e assumir responsabilidade por nós mesmos e por nossas atitudes. Não é fácil, mas o bom da passagem dos anos é que aprendemos a ter mais controle da nossa vida no presente, em vez de continuarmos a ser dominados por nosso passado.

A MUDANÇA PODE SER LIBERTADORA

A mudança pode ser difícil, mas também pode ser libertadora: uma chance de se distanciar dos "deveres" que absorvemos e, em vez disso, ouvir nossos próprios sentimentos e fazer os ajustes de que precisamos. A mudança às vezes é desafiadora, mas isso não necessariamente significa indesejável. Precisamos de estímulo. Somos mantidos emocionalmente em forma por nossa capacidade de reagir de novas maneiras quando nossas circunstâncias, nosso ambiente e nosso corpo mudam.

Quando viajamos para conhecer um lugar novo, nos sentimos revigorados pelo ambiente, pelos aromas e pela cultura. Espaços mais ricos e estimulantes aumentam nossa autoestima. É injusto, mas foram realizados experimentos com ratos mostrando que eles conseguem suportar melhor os efeitos do veneno quando estão num ambiente estimulante do que pobres ratos presos numa situação familiar. Não vamos repetir o experimento com humanos, mas isso mostra que a forma como nos sentimos emocionalmente tem repercussões físicas. E isso vale não apenas para viagens a lugares distantes. Criamos um ambiente interno com a ajuda das pessoas que nos influenciam, do que lemos, das histórias que absorvemos e de como falamos conosco. Mesmo quando não temos poder sobre nosso ambiente externo — lembra de Viktor Frankl? —, temos a liberdade de usar a mente a nosso favor ou em nosso detrimento.

Muitas pessoas me escrevem dizendo que se sentem inquietas e nervosas ou insatisfeitas, o que costuma ser um indicador de que a mudança está ou deveria estar em andamento. Também pode ser um velho padrão de não ser capaz de se prender a nada — vou chegar a esse ponto logo mais. Esta mulher que relata ter perdido qualquer sentimento de interesse ou entusiasmo é um exemplo de alguém que poderia vir a ganhar com a perspectiva de uma mudança:

> Tenho 37 anos, um marido lindo, um filho maravilhoso e um emprego na indústria criativa. O problema é que faz muito tempo que não sou feliz em minha carreira e me sinto empacada e, de vez em quando, acabo chorando porque simplesmente não sei o que fazer da vida. Eu me esforçava demais na escola (era empenhada, tirava boas notas, entrei numa boa universidade), mas agora estou num cargo em que há pouca progressão e não sei bem se quero continuar nessa carreira.
>
> Percebo que passei tanto tempo tentando fazer o que esperavam de mim que não tenho a mínima ideia do que quero fazer. Também fico com vergonha de tudo que tolerei quando tinha vinte e poucos anos. Eu corria atrás de homens de quem, no fundo, sabia que nem gostava, e aceitava tarefas extras no trabalho com a promessa de que enriqueceriam meu currículo, mas foram poucas as promoções que recebi.

Eu me sinto aliviada por finalmente ter consciência desse comportamento, mas tenho pavor de que seja tarde demais. Estou me candidatando a vagas, mas não são muitas as empresas que querem uma mãe perto dos quarenta. E, como disse, nem sei bem se quero continuar nessa área. Por favor, socorro.

É comum recebermos um conjunto sólido de regras quando somos jovens, talvez de nossos pais ou nossa cultura, de que a vida deveria ser de determinada forma. Absorvendo todas essas mensagens externas, muitos supõem que precisam se esforçar na escola, ir para a universidade, trabalhar numa indústria competitiva, subir até o topo. Esse caminho pode servir para muitas pessoas, mas está longe de servir para todas. De algum modo, algo ou alguém roubou o volante da vida dessa mulher, e a função dela é tomá-lo de volta.

Acredito que sua insatisfação vem de ela guardar um tipo de jogo de tabuleiro de anos e marcos na cabeça — dizendo qual marco deveria atingir até qual ano. Até agora, no que diz respeito ao trabalho, ela vinha se concentrando em ser vista fazendo a coisa certa ou em fazer coisas pelo currículo, em vez de pela satisfação no presente. Eu me pergunto quantos de nós estão em cargos profissionais muito sérios quando preferiam estar, por exemplo, trabalhando numa creche para cães. Podemos estar fazendo um trabalho em que não encontramos satisfação não apenas por razões financeiras, mas porque nos preocupamos com o que as pessoas vão pensar. Marcar as caixinhas que deveríamos marcar, fixados nos "deveres" que trazemos internalizados. Esse jogo não faz bem, mas é fácil cair nele.

Criamos o hábito de ouvir dos outros o que queremos, do que precisamos e o que deveríamos fazer. Notei que, quando uma pessoa é muito rígida e não consegue deixar ninguém novo entrar ou, ao menos, não por muito tempo, ela continua a manter dentro de si as antigas convicções ou as pessoas que as inspiraram. Isso torna difícil, embora não impossível, mudar de rumo. E se essa mulher aliviasse o impacto das suas experiências mais antigas e se permitisse estar mais presente no aqui e agora?

Se estiver se sentindo inquieto mas não conseguir entender o que quer mudar, não se pressione a saber. Em vez disso, experimente este exercício: o que vem à sua mente quando você pensa em "envolvimento e empolgação"? Agora pense na palavra "gratificante" ou "realização" — o que vem? Escreva essas palavras, reflita sobre elas e veja o que vem à sua cabeça. Trate isso como um brainstorming meditativo; não rejeite nenhuma ideia — você pode acabar espantando outras. Não há como apressar esse processo. Anote as imagens ou palavras que surgirem. Então olhe de novo e veja o que chama sua atenção. Acho uma boa ideia registrar seus sonhos e observar também que sentimentos e imagens são recorrentes. Sonhos nos proporcionam metáforas úteis que nos ajudam a descobrir do que precisamos. É importante escutar seus sentimentos enquanto você faz esse exercício para que se sinta motivado a realizar as mudanças necessárias para aproveitar sua vida ao máximo. Se não conseguir sentir, vai ser impossível saber o que você quer e, se não souber seu desejo, como pode correr atrás dele?

> **SABEDORIA DO DIA A DIA**
>
> Para saber em que direção precisamos seguir, é necessário entender o que estamos sentindo. Ao compreender nossos sentimentos, descobrimos o que queremos e, quando sabemos nosso desejo, podemos ir atrás dele.

Às vezes, quando estamos numa encruzilhada, ficamos paralisados por medo de fazer a escolha errada. Parece que podemos evitar erros se não tomarmos decisões. Mas não tomar uma decisão também é uma escolha e, assim como outras, pode ser a errada. É impossível saber de verdade se uma escolha é a certa sem uma visão em retrospecto — e nenhum de nós tem isso. Erros e fracassos são necessários para crescer. Na psicoterapia, às vezes os chamamos de "mais uma enorme oportunidade de aprendizado".

Lembro-me de um período na minha vida em que estava muito inquieta. Tinha largado meu emprego como assistente de advocacia e entrado na escola de artes. Eu acalentava a esperança de conhecer pessoas criativas lá que me dessem o estímulo de que eu precisava, mas acabei achando que a turma do direito que eu havia largado era mais erudita, inteligente e interessante que a de artes. Ampliei minha busca por algo ou alguém em cursos noturnos. Entrar para um curso de crítica cinematográfica não mudou nada. Mas me matricular num curso de escrita criativa teve consequências profundas.

O curso surtiu efeito, e mais adiante eu me tornaria escritora, jornalista e apresentadora. Isso, por sua vez, levou a meus livros, incluindo este. Costumo me esquecer de todos os outros cursos que tentei e que fizeram muito menos por mim, mas fico contente que não tenha desistido de tentar encontrar o que mais combinasse comigo só porque muitos outros não serviram. É muito fácil desistir cedo demais. Continuei até encontrar algo que me inspirasse e, ao fazer isso, também continuei seguindo até encontrar o parceiro com quem eu quisesse estar.

É natural pensar, depois de seis tentativas em vão, se todas elas tiverem sido ruins — sejam entrevistas de emprego ou encontros on-line —: *Não posso fazer isso, e está na cara que isso não é para mim*. Mudar essa mentalidade é um favor para nós. Se uma em cada cinquenta ligações leva a uma venda, um truque que um vendedor de sucesso faz é pensar que, quanto mais ligações fracassadas faz, mais perto está de fechar um negócio — portanto, conforme o tempo vai passando, mais animado ele fica e mais entusiasmo demonstra, tornando mais provável que consiga. E, como qualquer vendedor do ano vai dizer: ele definitivamente consegue. Seja menos pessimista, seja mais vendedor.

Nunca se sabe o que vai acontecer. Meu conselho é tentar coisas novas, e se tudo der certo a vida se torna uma grande aventura estimulante de descobertas. A grande sacada é que você sempre pode abrir um novo negócio ou tentar uma nova formação para um emprego ou profissão diferente e, se conseguir arcar com os custos, dar uma pausa para experimentar outras coisas para ver se gosta delas. Um amigo meu cofundou uma empresa no setor criativo aos oitenta anos, então não acho que você tenha perdido a chance se chegou a uma certa idade sem um marco em particular. Não precisamos jogar esse jogo. Saia do tabuleiro e encontre outro.

O maior risco que você corre é ficar num lugar que está te deixando infeliz ou que te faça se sentir estagnado. Por outro lado, se costuma trocar de emprego, de namorado ou de casa a cada duas semanas, sua experiência nova seria descobrir o que aconteceria se tentasse uma coisa e insistisse nela. Não existe uma solução única, mas uma solução

> **SABEDORIA DO DIA A DIA**
>
> Seja menos pessimista em relação a experimentar coisas novas. Mesmo se o que tentar não der certo, você vai estar um passo mais perto de onde quer estar.

que costuma funcionar é responder às perguntas "Quais são meus medos?" e "Como meus medos estão me impedindo de seguir em frente?". O que aconteceria se você sentisse o medo e fizesse essa coisa mesmo assim? Encare os momentos de mudança não como uma incógnita assustadora, mas como uma oportunidade de descobrir e realizar seus desejos. No começo, você vai sentir como se soltasse uma corda sem saber onde fica o chão. É assustador. Mas, na maioria das vezes, a terra firme está a poucos centímetros dos seus pés.

COMO MUDAR VELHOS HÁBITOS

Às vezes, um paciente meu se atrasa. "O metrô parou — desculpa." Se acontece uma vez, não trato como significativo. Mas alguns pacientes estão sempre atrasados e esbaforidos quando chegam — talvez só cinco ou dez minutos, mas toda vez. Então fico curiosa sobre o que está por trás do padrão de atraso, o que significa e a que propósito serve.

Cada pessoa que se atrasa habitualmente tem um motivo diferente para sua falta de pontualidade. Um paciente lembrou que a mãe passava tanto tempo no banheiro que ele sempre se atrasava para a escola. Ela dizia que não tinha importância e que pessoas adiantadas eram "certinhas". Em seu inconsciente, chegar no horário tinha se confundido com ser desleal à mãe e, portanto, era ruim. Depois de descobrir essa narrativa, ele perdeu a compulsão pelo atraso. Acontece também de a pessoa ser otimista demais sobre quantas coisas consegue fazer e quanto tempo leva para chegar do escritório ao restaurante, por exemplo, ainda mais se for perto. Minha editora e eu sempre almoçamos num café próximo ao escritório dela, e ela sempre se atrasa sete minutos porque sai à uma da tarde. Acho que ela acredita que tem teletransporte, mas, com o tempo que leva para conversar com um colega no saguão e esperar pelo elevador, acaba se atrasando sete minutos.

Alguns atrasados escolhem aceitar que são péssimos na questão do tempo e que não podem fazer nada a respeito. É comum termos um diálogo interno derrotista que diz "É meu jeitinho" ou "Não consigo mudar", mas podemos abandonar essas justificativas e decidir experimentar, apesar delas. Não paramos de nos desenvolver quando chegamos à fase adulta. O cérebro é maleável. Podemos mudá-lo notando o que fazemos normalmente, inibindo nossa reação normal e trabalhando para formar uma resposta alternativa e, assim, desenvolver um hábito novo.

Pense no seu cérebro como se houvesse uma estrada passando por ele. Essa estrada é sua antiga forma de responder a uma situação. Por outro lado, adotar um hábito ou comportamento novo é como abrir uma trilha inexplorada pela selva com um facão. A forma antiga é fácil e automática — você se põe no piloto automático e vai. Mas a forma nova exige trabalho duro; você precisa pensar sobre aonde está indo e o que está fazendo, e isso exige esforço e coragem. Para voltar ao exemplo da pontualidade, é só quando os atrasados tomam a decisão de ser pontuais que de fato mudam. Deve ser uma decisão consciente; se fizerem uma tentativa meia boca de "tentar" chegar a tempo, não vão chegar. Seu cérebro vai voltar à estrada e eles vão continuar se atrasando.

Cuidado quando estiver sob estresse ou pressão para não voltar à estrada, pois é normal voltar à rota fácil e familiar quando nossa energia está ocupada com outras coisas. Quem tem filhos percebe isso muito bem. Por mais convencidos que estejam de que nunca vão agir como seus pais, quando estão estressados se veem de volta à forma como foram criados.

Como mais um exemplo de alguém que quer mudar um hábito específico, temos esta carta de uma mulher que está achando difícil parar de fofocar no trabalho:

Parece que não consigo parar de fofocar e reclamar das pessoas ao meu redor. Isso acontece sobretudo no trabalho, e não sou a única que faz isso; é um ambiente tóxico onde resmungar é a regra, então é difícil resistir. Todo dia eu me dou um pequeno sermão sobre como não vou falar nada de ruim a respeito de alguém, e todo dia sou tomada por fofocas ou acabo falando algo maldoso. É a característica que mais condeno em mim mesma e estou começando a acreditar que, no fundo, sou uma pessoa horrível que não merece ter nenhum amigo. Eu costumava me orgulhar da minha capacidade de ser uma pessoa honesta e franca que expressa suas opiniões, mas a balança pendeu para a amargura, as lamentações e as fofocas impulsivas. A pior parte é que, quando reclamo de alguém, no fundo nem sinto nada de negativo contra a pessoa, e fico sem saber por que digo coisas tão horríveis.

Trabalhei muito em mim mesma nos últimos anos (me mantendo sóbria, fazendo terapia) e fico com vergonha por não ter evoluído para me tornar uma pessoa melhor. Não quero ser mesquinha sentindo prazer em depreciar os outros. Sinto muito respeito e admiração por quem é mais positivo, tem a mente aberta e consegue controlar seus pensamentos e emoções perto dos outros — como me tornar essa pessoa e dizer adeus de uma vez por todas a esse meu lado venenoso?

Ao reconhecer e articular seu problema, essa mulher já está no caminho de mudar seu rumo. É difícil parar de fofocar, ainda mais se nos sentimos inseguros em nosso ambiente. É uma forma conveniente de criar laços com alguém quando há um terceiro que os dois concordam que é ruim em algum sentido. Como a espirituosa socialite Alice Roosevelt Longworth disse: "Se não tiver nada de bom a dizer sobre alguém... venha se sentar ao meu lado". Fofocas podem funcionar como uma cola: fluem entre pessoas que simpatizam umas com as outras e é um sinal de que existe confiança entre elas. Isso alivia a tensão ou a animosidade, uma vez que diminui a pressão que estamos sentindo. Mas há desvantagens. Se ouvirmos fofocas negativas sobre uma pessoa, isso muda a maneira como nos sentimos em relação a ela, o que pode ser injusto e cruel. Também não é bom quando é nossa vez de ser o alvo da fofoca. Claro, se encontrarmos uma maneira diplomática de ter uma comunicação mais direta, é melhor para todos.

Quando estamos diante de algo novo, é normal titubear. Às vezes parece que o bem que isso vai nos fazer é diretamente proporcional ao pavor que sentimos ao contemplar: correr uma maratona quando você só corre para pegar o ônibus, ou parar de beber depois de passar a pandemia com uma taça de vinho como única companhia. É estranho, mas é difícil adotar mudanças para melhor. Uma dose de dopamina reforça um hábito negativo, e vamos nos dizer qualquer bobagem para nos convencer a receber outra. É com isso que essa mulher pode estar se deparando em sua tentativa de parar de fofocar.

Mas mudanças para melhor não precisam ser drásticas; podem ser pequenos ajustes sutis, como decidir cultivar uma variedade diferente de planta ou aprender uma palavra nova por dia. Eu sugeriria que essa mulher tentasse criar o hábito de frases que comecem com "eu". Assim, em vez de "Ele é irritante", poderia passar a comentar "Eu me sinto irritada", assumindo responsabilidade por suas reações e percebendo que não é porque esse homem a irrita que tudo nele é errado. Esse hábito vai ajudá-la a assumir a responsabilidade pela sua reação em vez de culpar a outra pessoa. Não é tão divertido quanto reclamar com o melhor amigo do escritório, mas é bem mais útil. Mesmo uma diferença muito pequena em nossa rotina ou perspectiva causa um impacto significativo em nossos sentimentos de bem-estar.

Também noto que ela é muito dura consigo mesma por fofocar. Ela já consegue articular seu problema e está no estágio de se repreender depois que faz isso, portanto está no caminho certo. Isso me faz lembrar do poema de Portia Nelson "An Autobiography in Five Chapters". É sobre andar por uma estrada e cair num buraco. Ela cai, não é culpa dela. Depois, vê o buraco, sabe que está caindo, cai mesmo assim, ainda não é culpa dela. Depois disso, vê o buraco, cai, e é culpa dela. Vê o buraco, dá a volta por ele. Depois pega outra rua diferente. Sua metáfora significa que precisamos nos dar um desconto quando estamos aprendendo um hábito novo: é preciso tempo para mudar o comportamento. Portanto, em vez de nos recriminar quando estamos tentados a cair em maus hábitos, podemos nos congratular por nossa consciência — "Ahá! É isso que não quero mais fazer!". Evite julgar e seja curioso em relação a si mesmo. Perceba seus avanços, perceba as tentações e se parabenize quando não cair nelas.

Se estiver pronto para mudar um velho hábito ou tentar algo novo, aqui vai minha recomendação: pegue uma grande folha de papel em branco e desenhe um círculo no meio. Dentro do círculo, escreva exemplos de atividades que você se sente completamente confortável em fazer. No meu, eu poderia pôr algo como fazer uma caminhada curta. Ao redor desse círculo, escreva exemplos de atividades que você consegue fazer, mas precisa se forçar um pouco. Por exemplo, subir ao topo de um monumento ou morro. Desenhe um círculo maior ao redor desse círculo de atividades. Na faixa seguinte, escreva atividades que gostaria de fazer mas em relação às quais sente certo medo. Podem ser coisas como uma trilha de sete dias, abordar alguém com uma nova ideia de negócio ou abrir uma instituição de caridade. Trace outro círculo ao redor desse anel de atividades. Escreva coisas que você tem muito medo de experimentar mas sobre as quais nutre ambições — talvez concorrer a um cargo público. Crie quantos círculos quiser.

Com o tempo, as atividades imediatamente fora do seu círculo interno vão se tornando comuns, e nossa zona de conforto se expande. O que está num círculo externo pode muito bem estar no interno de outra pessoa, mas devemos nos lembrar de que, o que quer que experimentemos, é unicamente para nós. Não importa o que os outros pensem. Experimente coisas novas e, se o experimento não fizer com que você se sinta mais estimulado, mais interconectado e mais vivo, nenhum mal vai ter sido causado, e você pode deixá-lo de lado. A ideia é ir se expandindo aos poucos. Em minha experiência, descobri que, se não testarmos nossos limites de tempos em tempos, nossa zona de conforto se encolhe.

A principal coisa a lembrar é que a mudança exige prática. Pode não parecer certo no começo porque não vai ser familiar, e confundimos familiaridade com verdade. O que é familiar e confortável parece certo, mesmo que nos machuque. Portanto, continue andando e abrindo caminho na selva, e trilhe novos percursos. Quanto mais você trilhá-los, mais naturais eles vão ficar, até se tornarem tão automáticos quanto a estrada.

COM A MUDANÇA, VEM A PERDA

Às vezes, somos os agentes da mudança e essas mudanças são desejáveis, mas às vezes a mudança nos é imposta quando não necessariamente a queremos. Como lidar com isso? É importante reconhecer que, com a mudança, muitas vezes vem a perda, sobretudo quando não estamos prontos para as coisas mudarem. Quando um relacionamento muda — de namorados a companheiros, amigos a conhecidos, cuidadores a cuidados — haverá perdas a lamentar, seja por um antigo estilo de vida, seja por como o relacionamento costumava ser e como você era dentro dele.

Mesmo que espere e aceite a mudança, ela ainda pode criar um vazio dentro de você que sua psique vai tentar preencher. Um exemplo comum é quando pais veem seu filho se separar deles pela primeira vez. É doloroso quando os adolescentes se rebelam, rejeitam os pais, recusam sua companhia com delicadeza ou ignoram sugestões ou conselhos amorosos. É menos doloroso se conseguirem ver que isso é parte do desenvolvimento de identidade do adolescente.

Também é por isso que um término lembra um processo de luto: você está passando por uma perda. Vai sentir falta da pessoa e também de quem você era quando estava com ela. Vai se preocupar com como vai se virar e vai sentir raiva por ter de se preocupar com isso porque, se esse término não tivesse acontecido, você não precisaria se pôr nessas circunstâncias novas. Você vai sentir medo: está saindo do familiar e entrando no desconhecido. Também pode ter preocupações mais filosóficas: quem é você agora em sua nova condição de solteiro? Como isso muda sua identidade? Penso nessas questões em relação a uma carta que recebi de uma mulher na casa dos trinta cujo relacionamento terminou ao mesmo tempo que ela estava passando por um tratamento de fertilidade.

Passei dez anos num relacionamento com alguém que eu amava muito profundamente e com quem pensava que envelheceria. Pouco tempo atrás, começamos um processo de IIU (inseminação intrauterina) medicamente assistida com um doador de esperma (somos lésbicas), e então minha companheira me deixou dois dias depois da nossa primeira tentativa. Descobri que ela estava tendo um caso com uma amiga em comum. Ela voltou por um tempo e tivemos muito amor e intimidade, mas depois foi embora de novo.

Fazia três semanas que eu estava indo à clínica, e me sinto muito triste e não consigo abrir mão do que seria nosso bebê. Também sinto que não existe uma linguagem para isso porque o tratamento de fertilidade para lésbicas não faz parte do "discurso" da sociedade, então tenho dificuldade até para nomear o que aconteceu comigo. Também entendo que casos extraconjugais são sintomáticos de problemas maiores, e quero assumir minha parte da ruptura — nossa comunicação tinha parado de funcionar completamente, pois minha companheira diz agora que, na verdade, não queria tanto o bebê.

Percebo que ela vinha se retraindo devagar ao longo dos dois anos de planejamento (escolhemos nomes, escolas, lugares para morar, economizamos dinheiro,

conversamos sobre como e quando teríamos nosso segundo filho) e, quando eu tentava conversar, ela se negava tanto a falar que, no fim, eu só acabava nervosa e precisava de algum tipo de conexão, mesmo que fosse negativa.
Como vou processar e aceitar isso tudo e como posso seguir em frente e ficar bem? Não consigo superar a sensação de que sou um fracasso e que tenho uma disfunção enorme, o que sei que não é racional, mas me sinto muito atordoada. Também não sei bem se devo tentar a maternidade solo. Vou ser o bastante para meu filho? Parece muito punitivo. E muito solitário.

Quando uma pessoa nos deixa, sentimos que perdemos a parte de nós que éramos quando estávamos juntos e o futuro que imaginamos com essa pessoa. Esse vazio parece uma ferida aberta. Claro, essa mulher está devastada. Perdeu a companheira e o sonho de ser mãe junto com ela. A outra pessoa que a deixou é o bebê com quem ela sonhou, e a pessoa que esse bebê se tornaria. Seja o sonho uma criança, uma casa, um relacionamento, um novo país, há um período de luto pelo qual precisamos passar quando ele não se materializa. Se temos uma visão e ela está perto de se realizar e então é arrancada de nós, é provável que muitos dos sentimentos que temos sejam parecidos a quando perdemos uma pessoa importante. E, assim como o luto pela morte de um ente querido, não há como acelerar esse processo, mas, no tempo em que a ferida leva para se curar, nos acostumamos com ela ou crescemos em torno dela, de modo que ela se torna parte da nossa história.
Recebo muitas cartas sobre passar por um término ou alguma outra mudança inesperada e indesejável na vida, e

meu maior conselho é abrir a torneirinha e deixar os sentimentos fluírem, senão a pressão vai se acumular. Isso pode se tornar uma obsessão, tomando todos os aspectos da sua vida. Se você se sente preso num estado obsessivo, pode superá-lo controlando onde e quando desabafar. Faça isso criando um cronograma. Chore, grite e lamente no mesmo horário todos os dias por meia hora. Aliás, você deve sofrer e se lamentar nesse horário, mesmo que não queira. Lembre-se de como a vida era antes. Crie um santuário, acenda uma vela, chore, escreva uma carta que nunca vai enviar — qualquer coisa —, mas não mais do que meia hora por dia, e apenas nesse horário delimitado. Seja rigoroso, ponha um timer. Dessa forma, enquanto vive seus sentimentos e os elabora, você também ganha controle sobre eles. Vai exigir determinação e força de vontade, mas, como qualquer habilidade, vai melhorar com a prática. E talvez, em algumas das suas meias horas, você possa pedir para um amigo ou familiar te abraçar enquanto você chora. Não precisa fazer isso sozinho. Mas não se esqueça de deixar o timer ligado.

Eu daria o mesmo conselho a esta jovem que está planejando fazer cirurgia para reduzir seu risco de câncer de mama:

> SABEDORIA DO DIA A DIA
>
> Pode parecer loucura ativar um timer para a obsessão, mas isso nos ensina a assumir o controle sobre nossos pensamentos em vez deixar que eles tenham controle sobre nós.

> Sou uma mulher de 26 anos e testei positivo para mutação no gene BRCA cinco anos atrás. Isso significa que, no decorrer da vida, tenho uma chance muito grande de desenvolver câncer de mama porque (sem entrar em muitos detalhes técnicos) meu corpo não

tem a capacidade de reconhecer e combater determinadas células cancerosas.

Soube no momento em que peguei meus resultados que queria fazer uma mastectomia redutora de risco e estou agora num estágio da vida (na carreira e nos relacionamentos) em que me sinto pronta para isso. Embora os médicos tenham me dito que minha expectativa de vida é a mesma quer eu faça a cirurgia, quer não — se eu não a fizer, tenho grande propensão a desenvolver câncer, mas, como vou começar rastreamentos regulares, também é muito provável que o diagnostiquem —, sei que a cirurgia é a opção certa para mim. A ideia de fazer rastreamentos todo ano, sabendo que um dia vão voltar positivos, não é algo que desejo. Prefiro fazer a cirurgia agora e viver em paz.

Minha mãe teve câncer de mama e faleceu depois de passar anos em tratamento, e ela estava comigo quando recebi os resultados do meu exame de BRCA (o exame dela também deu positivo). Lembro-me de que ela se sentiu muito culpada e abalada por mim, mas fiquei bem. Em outros tempos, essa poderia ter sido uma sentença de morte, mas agora há muitas opções, e sinto que tenho sorte por ter o diagnóstico, pois posso dispor de opções que minha mãe nunca pôde. Eu via isso como apenas mais uma coisa que precisaria fazer agora que sou adulta e que, como eu podia me planejar, correria tudo bem. Meus seios são pequenos e não são uma parte muito grande da minha autoimagem, então nunca pensei que sentiria tanta falta deles.

Mas agora que estou chegando mais perto da cirurgia, passo a maior parte do tempo apavorada e abalada. Acho difícil me concentrar em qualquer outra coisa, mas não quero irritar meus amigos e familiares falando sobre o assunto o tempo todo. Sei que a cirurgia é algo que quero e sei também que é o momento certo, então por que me sinto assim?

Pensamos em luto quando perdemos alguém próximo: o pai ou a mãe, o companheiro, um animal de estimação ou um amigo, todos ao nosso redor sabem que vamos ficar tristes, com raiva, confusos, em negação ou simplesmente atônitos por um tempo — aonde quer que a jornada do luto nos leve. Mesmo sendo difícil, sabemos que, a menos que nos permitamos passar pelo luto, não vamos recuperar o equilíbrio. O único caminho para superar a perda é através dela.

É muito mais difícil entender quando a perda pela qual passamos é diferente do que acontece quando alguém morre. Muitas vezes, ninguém nota ou menciona isso, e não imagina que temos um trabalho de luto a fazer. O que essa jovem está vivendo depois da perda da mãe é outra perda: a dos seus seios, que são parte da sua feminilidade, e de ter um corpo inteiro e sem cicatrizes.

Ela se sente grata por poder reduzir o risco de desenvolver câncer ao fazer um procedimento, mas é possível sentir gratidão, tristeza e pavor ao mesmo tempo. Por que você não se apavoraria se a região do seu corpo sob tantos exames médicos tiver sido a mesma que matou sua mãe? Por que não sentiria ansiedade se um tecido saudável fosse removido de você numa cirurgia?

Já não é fácil falar sobre sentimentos complexos, mas, se nos censurarmos por ter esses sentimentos, eles se tornam impossíveis de administrar. Em vez de encontrar apoio amoroso para o processo de luto, nos fechamos num mundo silencioso e angustiante em que nos sentimos cada vez mais isolados. Quando a tarefa de processar a perda não acontece dentro de nós, ela pode dominar todo o nosso mundo e obscurecer todas as outras coisas. Achamos que, se assumirmos a decepção e dermos nome às faltas, nossos sentimentos vão se tornar mais intensos e incontroláveis, mas acontece o contrário. Falar sobre a perda é começar a processar esses sentimentos, e é o primeiro passo para a cura.

A coisa que pensamos que nos torna mais estranhos, isolados ou solitários é muitas vezes a mesma que nos deixa mais conectados quando a compartilhamos com os outros. Isso se deve ao fato de que, se conseguimos pôr em palavras sentimentos que não costumam ser expressos e descrever sinceramente como nos sentimos, duas coisas acontecem. Uma: ao expressar o sentimento, encontramos sentido nele, passamos a entendê-lo mais e a nos entender mais. E duas: se conseguirmos comunicar isso a outra pessoa, nossas palavras podem ajudá-la a entender parte dos sentimentos dela também. Quando compartilhamos como realmente pensamos e nos sentimos, como realmente somos, e alguém consegue nos entender, é aí que a conexão se dá. Essa conexão leva à cura. Temos o direito de ficar vulneráveis e tristes, de lamentar, de sofrer pela perda e de nos dar um tempo para superar o choque e nos adaptar a um corpo diferente.

> **SABEDORIA DO DIA A DIA**
>
> Parte do processo de mudança é aceitar que existe uma parcela de nós que precisa passar pelo luto. Você pode sentir gratidão pela mudança ao mesmo tempo que lamenta a perda de como as coisas eram.

ACEITANDO O ENVELHECIMENTO

A ideia de que existem crianças e adultos não passa de um construto social. Não viramos magicamente uma chave para nos tornar adultos aos dezoito anos ou seja lá quando começa a maioridade. Passei o fim da minha adolescência e o começo dos vinte anos esperando que acontecesse uma transição milagrosa em que eu deixasse de me sentir eu mesma, o que eu sabia que era uma criança, e me tornasse algo mais sensato, o que chamavam de adulta.

Não existe, portanto, essa transição súbita para a vida adulta, mas, com o tempo, mudamos sim. A vida causa impactos em nós, mudando-nos e talvez até nos transformando em alguém mais evoluído hoje do que éramos ontem. O que tende a mudar, porém, é o nosso conteúdo, não os nossos processos. Permita-me explicar: "conteúdo" é a história, e "processo" é o padrão das ações. Portanto, por exemplo, se somos de nos preocupar, aquilo com que nos preocupamos — a história — vai mudar, mas não o fato de que estamos sempre nos preocupando. Uma criança pequena pode se preocupar com o fato de que as folhas estão morrendo e caindo de uma árvore. Quando cresce, não se importa mais com as folhas, mas vai ter os mesmos sentimentos de preocupação com outra história — como para quem enviar um cartão de Natal. Nossa evolução com a idade não significa que vamos nos tornar pessoas completamente diferentes, e é importante ter isso em mente. Para mim, a principal mudança é que me canso mais.

Envelhecer é algo com que todos devemos lidar, mas pode ser um processo difícil de aceitar e atravessar. Nosso corpo muda fisicamente, e isso não é fácil. Envelhecer representa a perda de mobilidade, exigindo descansar mais e não ser capaz de fazer o que antes era natural. Independente de refletir ou não em termos filosóficos sobre essas mudanças, se parar para pensar, elas também envolvem perda. Você tem o direito de se lamentar pela perda de como as coisas eram, de reconhecer o efeito que a mudança tem em você. É natural sentir falta de um tempo da vida em que você era jovem e tinha mais vitalidade.

Somos condicionados desde cedo a acreditar que a juventude é bela e a velhice não, ainda mais se você for mulher. Eu me lembro da minha mãe se olhando no espelho e lamentando a perda da juventude e me dizendo coisas como "Você ainda está bem...". Mas eu não estava, porque ela me transmitiu o hábito do ódio e da vergonha do corpo. Somos bombardeadas por imagens de mulheres jovens junto com mensagens de que é assim que todas deveríamos parecer. Seria de imaginar que, por causa desse estereótipo, essas jovens são o exemplo máximo da feminilidade, mas não são.

Um exemplo de alguém que estava sofrendo para aceitar seu corpo em processo de envelhecimento é uma mulher que me escreveu pedindo conselhos sobre como se sentir mais confiante em sua própria pele:

> Como posso ser menos insegura e sentir menor ódio do meu corpo flácido e não torneado de meia-idade quando estou sem roupa? Isso me deixa inibida de muitas formas, e evito atividades em que preciso mostrar os braços ou, ainda pior, as pernas ou a barriga. Tenho pavor de usar roupas de banho, embora eu adore nadar. Isso também faz com que eu não me sinta à vontade para ficar nua com meu parceiro durante o sexo. Afeta até as posições: não consigo ficar por cima porque sinto muita vergonha da minha barriga e dos meus seios flácidos.

Caminho bastante, pratico ioga, pilates e outras atividades várias vezes por semana, e adoro o que meu corpo é capaz de fazer durante esses exercícios. Estou com quase sessenta anos e tenho uma boa alimentação (peixes, leguminosas, frutas e uma grande variedade de hortaliças). Estou uns dez quilos acima do peso e passei a maior parte da vida sofrendo por isso. Talvez isto seja relevante: ainda bem jovem, desenvolvi seios grandes que atraíram uma atenção masculina indesejada quando eu ainda era basicamente uma criança, e me lembro de escolher roupas para disfarçar meu corpo de mulher em vez de celebrá-lo.

Sei que todos somos muito mais do que nossa aparência física e sinto vergonha de me sentir envergonhada. Não olho para minhas amigas com repulsa; elas são maravilhosas, mesmo não tendo corpos perfeitos, então por que olho para mim mesma dessa forma?

Nossa pele fica flácida com a idade, e fomos condicionadas a pensar que isso não é bonito. Ouvimos que devemos nos parecer com as pessoas que tentam nos vender loções firmadoras e cremes anti-idade e roupas. O objetivo é nos encher de pavor de que não seremos amadas se não parecermos uma jovem de vinte anos e nos encher de autoaversão para comprarmos mais coisas, e funciona. Quer dizer, as táticas para nos fazer comprar as coisas funcionam, mas as coisas em si não, elas não funcionam, e nossa pele e nossa distribuição de gordura permanecem de acordo com a idade.

Vemos a pele que antes era lisa ficar parecida com papel crepom, e sabemos que fomos doutrinadas a acreditar que uma é boa e a outra, ruim. Também sabemos que temos uma escolha sobre como pensar a respeito disso. Quem são as mulheres maduras mais atraentes? Não são as mais magras, não são as que parecem mais jovens, mas mulheres que se portam com orgulho, que não se escondem, que mantêm a cabeça erguida e riem, não importa o que possa abalá-las; aquelas que estão respirando porque não estão prendendo a respiração para segurar a barriga. Confiança é atraente. Devemos desenvolvê-la. A confiança, e não a magreza ou a firmeza, é o segredo para se sentir bonita.

Isso é generalizado; é claro que os homens também são sujeitos ao envelhecimento, e homens gays em particular são sujeitos ao olhar crítico dos outros. Mas existe uma pressão adicional sobre as mulheres para parecerem jovens porque sempre fomos submetidas culturalmente ao olhar masculino — das revistas femininas nos dizendo para ter determinada aparência aos assovios, à importunação em pontos de ônibus e baladas — e, para muitas, o olhar masculino se tornou nosso próprio olhar.

A mulher que me escreveu questionou se era relevante ter recebido atenção masculina indesejada quando pequena, e acho que isso é imensamente relevante. Essa atenção a fez se sentir horrível, e ela pensou que era seu corpo que a estava fazendo se sentir assim porque ela se sentiu invadida, amedrontada e enojada quando comentários sexualizados inconvenientes lhe foram direcionados. Seu inconsciente entendeu esses comentários pensando: "Se eu não tivesse esse corpo, não me sentiria enojada e assustada". A atenção indesejada nos deixa ainda mais conscientes da nossa aparência física, de modo que, quando o nosso corpo muda com a idade, achamos isso desorientador. Sei que alguns homens também sentem falta de confiança com o corpo, mas acredito que, de modo geral, eles sabem melhor dar um tapinha

na pança e sorrir. O nível de ansiedade que as mulheres sentem sobre a mudança de seu corpo tende a ser diferente.
Como já disse, é fácil confundir familiaridade com verdade. Quem pode declarar o que é bonito e o que não é? Se você se identifica com a mulher que escreveu a carta, quero que mantenha a cabeça erguida. Você tem um corpo sexy maravilhoso; pratique ter orgulho disso. Não desperdice mais um dia sem apreciar como é maravilhosa. Você pode até não se sentir confiante, mas aja com confiança, acostume-se com ela. Finja até conseguir.
Outra carta que acho que descreve bem a experiência de envelhecer veio de uma aposentada que sentia ter sido deixada para trás pelos avanços tecnológicos do mundo moderno.

Como uma mulher aposentada que mora sozinha, me senti isolada durante os vários lockdowns. A solução parecia ser recorrer à tecnologia, o que não era um problema quando funcionava, mas quase sempre fazia com que eu me sentisse ainda mais distante do mundo. Por exemplo, quando não conseguia ativar meu som numa videochamada, eu me sentia como se tivesse síndrome do encarceramento. Depois da pandemia as coisas melhoraram, mas a covid fez da tecnologia o caminho do futuro e nem sempre consigo fazer com que funcione para mim.

Fui a um pub e desisti do almoço porque não conseguia pedir pelo aplicativo. Tenho um celular com o qual vivo atrapalhada — por meses, eu não sabia como atender a uma ligação, então precisava esperar parar de tocar para então ligar de volta.

Se compro um aparelho novo, ele nem vem com um manual para me mostrar como funciona. Estou me distanciando cada vez mais de pessoas que usam os celulares e relógios (relógios?!) para tudo. Sinto que não pertenço a este mundo. E é improvável que isso melhore.

Primeiro, uma confissão: também acho uma dor de cabeça como estamos cada vez mais dependentes da tecnologia. Não consigo nem ligar meu sistema de aquecimento central ou pagar os impostos municipais sem precisar me lembrar de uma senha. Quando a internet chegou, eu era muito boa com ela, mas nada permanece igual; a palavra "atualização" me dá calafrios. Quando você pega o jeito de um dos aplicativos de videoconferência, ele se atualiza ou seu grupo começa a usar um programa diferente e você precisa aprender de novo. Cansei de assistir a vídeos do YouTube tentando me situar. Para os jovens, basta encostar para que entendam intuitivamente: eles cresceram com isso. Nós não. Reclamações à parte, aprender algo novo é bom para o cérebro mais velho. Somos capazes de aprender mais do que imaginamos. Vá a lojas de tecnologia e peça ajuda. Peço ajuda sempre, pois preciso que me expliquem algumas vezes, e também preciso de prática para assimilar.

O bom de envelhecer é que podemos dizer exatamente o que sentimos e queremos sem ter problemas por isso. Uma coisa pela qual se pode parabenizar pessoas de mais idade como nós é que nos importamos menos com o que os outros pensam a nosso respeito. (Note que eu disse "menos". Tendemos à psicopatia se não nos importarmos nada com os outros.) Perguntei a minha avó, quando ela fez cem anos, qual era a vantagem de chegar a essa idade, e ela disse: "Agora, finalmente, posso dizer exatamente o que quero e não ter problemas por causa disso". Um brinde, vó.

Mas existe outra questão aqui. A maioria das pessoas

pensa que não está no centro de um grupo, e sim nos arredores. Existe uma parte dessa mulher (e de você, leitor, e de mim, e de todos nós) destinada a se manter sozinha, invisível. Portanto, se envelhecer faz com que você sinta que está sendo deixado para trás e destinado à solidão, quero que saiba que não é o único: existe uma parte invisível e desconhecida em todos nós. Você pertence sim a este mundo, mesmo que uma parte sua sinta às vezes que não.

LIDANDO COM O LUTO

A morte de alguém que amamos é uma mudança profunda em nossa vida. As cartas que recebo sobre luto estão entre as mais tocantes e profundas. Às vezes, digo que o preço do amor é o luto e, em muitas dessas cartas, dá para sentir a profundidade e o peso do amor que elas continuam a expressar. A carta de uma mãe em sofrimento é uma das muitas que ficaram em minha cabeça.

> Fui mãe de três filhos, mas um deles morreu quando era bebê. Os outros dois têm agora 34 e 29 anos e, como acho que tento subconscientemente mantê-los vivos desde então, me tornei seu principal suporte, tanto emocional (relacionamentos, trabalho, amizades — tudo, na verdade) quanto financeiro e físico (largo tudo para ficar ao lado deles sempre que necessário).
> Isso também causa um impacto em meu marido, que provê financeiramente, e, embora seja muito generoso, não consegue entender o laço que tenho com eles e por que eles recorrem tanto a mim (ele não tem filhos e nem sonharia em ligar para os pais em cir-

cunstâncias como aquelas em que os meus me ligam).
O problema está em mim, obviamente. Eu me preocupo dia e noite, sofro de terrores noturnos, além de insônia, e tenho uma sensação avassaladora de fracasso como mãe somada à pressão para fazê-los felizes de alguma forma — eu tomava antidepressivos antes de meus filhos gêmeos nascerem porque tive uma infância difícil e perdi meus pais quando era muito pequena, mas depois fiquei determinada a superar a depressão sem medicamentos por causa dos efeitos colaterais. Agora, porém, eu me sinto destruída. Como posso mudar e lidar com isso?

Sinto muito por aquela garotinha que perdeu os pais, bem como por essa parte jovem e vulnerável que ainda parece existir dentro dessa mulher. Imagino que todo tipo de sensação normal de segurança foi tirada dela naquele momento. Depois disso, é normal ter medo de que coisas ruins possam acontecer com as pessoas importantes da sua vida. E, embora ela tenha começado a se recuperar, perder um bebê reabriu a ferida antiga de perder os pais. Seus medos são compreensíveis.

Quando há um trauma antigo no fundo do nosso ser, ele não se demonstra tanto em palavras; é mais como uma ansiedade difusa ou uma leve preocupação persistente — e não dá para simplesmente rechaçá-la com lógica. Não é um sinal de que estamos destruídos. Apenas um sinal de que fomos tornados mais sensíveis à fragilidade da vida. Quando sofremos uma grande perda, não há como ter certeza de que as pessoas ao nosso redor não vão nos deixar também, e uma estratégia otimista de se permitir ser levado pela vida costuma ser substituída por uma forma menos flexível e mais medrosa de estar no mundo. Um dos problemas disso é que, quando tudo está dando certo, em vez de aproveitar, temos medo de que isso seja tirado de nós. Sugiro às pessoas que estão sofrendo, como a mulher que escreveu essa carta, que tentem viver mais no presente em vez de no passado ou no futuro. Podemos fazer isso, sobretudo quando vamos dormir, substituindo pensamentos de preocupação e nos concentrando nos sons e nas sensações da nossa respiração.

Às vezes, crescemos ao redor do luto, mas ele continua do mesmo tamanho. Ele parece vir em ondas, e a dor é tão aguda quanto foi na primeira vez. Existem teorias, como a de que há estágios do luto pelos quais você passa e então supera. Em minha experiência de vida e morte, pouquíssimas pessoas conseguem se identificar com esse tipo de coisa. O luto segue sua própria jornada, e cada um passa por ele à sua própria maneira. A carta a seguir, de uma mulher que continua a lamentar a perda da mãe mesmo depois de décadas, é um lembrete de que não atravessamos o luto de acordo com um plano definido.

> Tenho cinquenta anos, levo uma vida privilegiada com meu marido e nossos filhos e não peço muito para ser feliz. Minha mãe morreu de maneira súbita quando eu tinha 25 anos — ela estava com 61. A morte dela foi causada por um ataque cardíaco. Não fazíamos ideia de que ela estava doente. Meu pai morreu de câncer de intestino aos 81 anos.
> Embora tenha sido muito triste ver o declínio do meu pai, sinto que consegui aceitar sua doença e sua morte depois. No entanto — e o motivo pelo qual estou buscando ajuda —, acho que nunca aprendi bem a lidar com a morte da minha mãe. Mesmo agora, lágrimas estão se formando em meus olhos enquanto

escrevo isso. Como posso estar assim depois de 25 anos? Era para eu ter superado. Consultei uma terapeuta por um tempo, que sugeriu que eu fizesse uma imersão em minha mãe — ouvisse suas músicas favoritas etc. Não ajudou. Ainda sinto que não lidei com a morte dela. Eu ficaria grata por qualquer ideia sobre como lidar com isso.

    O que fica claro para mim é que essa mulher perdeu a mãe muito jovem, foi um choque terrível e num período da vida em que ainda estava se desenvolvendo em relação a ela. Algumas pessoas conseguem preencher o buraco deixado pela morte de alguém importante, mas é difícil fazer isso quando você nem terminou de conhecer essa pessoa, e acho que isso vale especialmente quando um dos pais morre muito cedo.

    Há uma escola de terapia fundada por Fritz e Laura Perls chamada Gestalt. Uma intervenção Gestalt muito usada é separar duas cadeiras. Uma para você e uma que fica vazia para a pessoa com quem você tem assuntos inacabados. E, por mais bobo que pareça, você diz à cadeira que representa a pessoa ausente tudo o que precisa dizer a ela, em voz alta. Em seguida — e essa é a grande sacada —, você se senta na cadeira vazia dela e passa a ser ela, e responde a sua cadeira vazia o que imagina que essa pessoa diria a você. Se estiver sofrendo pelo luto, esse exercício pode ajudá-lo a derramar lágrimas de maneira catártica, o que você deve precisar fazer, e ampará-lo se estiver preso em seu luto.

    Assim como essa mulher, muitos de nós querem que o luto seja "resolvido". Se você se identifica com a frustração dela, quero que troque o "resolver" por "sentir". Os sentimentos, infelizmente, não são resolvidos, não é assim que eles funcionam. Sua bronca não vai impedir uma criança de fazer birra nem você de sentir tristeza. Partes nossas não morrem simplesmente porque seguimos em frente; elas continuam dormentes até algo reacendê-las. Velhos no leito de morte pedem pela mãe e é impossível não sentir muito por eles. Aconselho todos que estão de luto a não terem raiva de seu luto nem quererem se livrar dele. Parece estranho porque, às vezes, o luto é tão agonizante e em carne viva quanto era no começo, e aqui estou eu dizendo para não o deixar de lado. Mas, se conseguirmos tentar não sentir vergonha ou raiva quando as lágrimas escorrerem e, em vez disso, aceitar que elas vão vir e que são parte da forma como amamos, passa a ser mais fácil conviver com elas.

> **SABEDORIA DO DIA A DIA**
>
> Pense no luto não como algo a resolver, mas algo a sentir. Procure não ter raiva de seu luto nem ignorá-lo, mas ser amigo da dor e da tristeza.

Benjamin Franklin dizia que havia duas coisas certas na vida: a morte e os impostos. Não temos como trazer nossos entes queridos de volta. O que podemos fazer é mudar nossa relação com o luto. Quando o ignoramos, ele vai voltar mais forte. Quando o aceitamos, cuidamos dele, somos gentis com ele, deixamos de ter medo dele, ele não vai embora, mas se torna mais fácil de carregar. Sofremos porque perdemos alguém que amamos e sempre vamos ter emoções profundas por isso, mas podemos fazer amizade com a tristeza e não necessariamente senti-la menos, mas nos preocupar menos com ela.

Em meu livro *Como manter a mente sã*, falo sobre sanidade como o caminho entre ser rígido demais e caótico demais. Esse caminho tem a ver com flexibilidade — ser capaz de aceitar a mudança, provocar a mudança onde ela é necessária e aceitá-la de braços abertos. Ser humano é querer pertencer e sentir que temos um papel e um lugar na sociedade. As mudanças mais importantes que provocamos são as que melhoram nossa sensação de pertencimento — participar de uma família, escolher nosso ambiente de trabalho ou entrar para um grupo on-line. Pertencer é uma base importante para o contentamento, o que vamos abordar no próximo capítulo.

4. Como encontramos contentamento
Descobrindo paz interior, plenitude e sentido

Acredito que uma das coisas que costumam atrapalhar nosso contentamento é a importância que damos coletivamente a ser feliz. Felicidade é sentir prazer: é um estado intensificado. Pense no momento de surpresa agradável ao receber uma mensagem de um amigo de quem você gosta, ou quando consegue terminar o trabalho mais cedo e tem tempo para dar uma caminhada ao sol. Vejo a felicidade como uma sensação de curto prazo. Seria impossível ser feliz o tempo todo.

Em vez disso, gostaria que este último capítulo se concentrasse no que o contentamento representa para você. O contentamento está relacionado a estar satisfeito com a vida; é um estado de segundo plano geral que devemos buscar no longo prazo. Se conseguirmos aceitar todas as nossas emoções — tanto as difíceis como as prazerosas —, podemos usá-las para nos guiar pela vida. Este capítulo busca ajudar a entender e administrar todas essas emoções diferentes para auxiliar a desenvolver sua capacidade de felicidade e construir uma base de contentamento generalizado.

ADMINISTRANDO O ESTRESSE E A ANSIEDADE

Existem aspectos estressantes em cada idade: passar em provas, conseguir um emprego bacana, manter-se num emprego que odeia, conflitos, buscar um parceiro, escassez, querer filhos, depois se sentir preso a eles, preocupações financeiras, questões de moradia, solidão, divórcio, relevância, sentido, partir para conquistas maiores, mais dinheiro, ter bebês em idade mais avançada, corpos mais fortes, sexo de mais qualidade, pele mais firme, aprender quando é necessário pisar no freio, planejar-se para os últimos anos da vida, lidar com uma enfermidade crescente. É estressante fazer algo que te force, algo que você não fez antes e que pode não dar certo. Ou, pior, você realizou o que se dispôs a fazer, mas não sente o alívio que tinha imaginado que isso traria. Em qualquer idade, nos deparamos com o desafio de ter que conciliar nossa autoimagem interior com a realidade externa.

Sentimos estresse e ansiedade por uma miríade de motivos, e isso pode ser momentâneo ou duradouro. Mas nem todo estresse é negativo: estressar-se é uma maneira de manter o cérebro em forma. Não ter estresse nenhum significa que você não está fazendo exercícios mentais. O estresse bom cria estímulos positivos, obrigando-nos a aprender coisas novas e ser criativos, sem que seja avassalador a ponto de nos fazer entrar em pânico. Aprender coisas nos faz formar novas conexões neurais e, quanto mais delas tivermos, melhor. Ter mais conexões neurais significa que, se uma parte do seu cérebro morresse, outras poderiam se conectar mais rápido para contornar a parte danificada.

É possível, porém, ter algo bom em excesso. Níveis altos permanentes e contínuos de estresse geram pânico e dissociação. Dissociação é uma desconexão entre nossos pensamentos, sensações, sentimentos e ações, e é sentido como uma espécie de branco. Pânico e dissociação podem levar ao burnout, então como evitá-los?

Recebi uma carta de um rapaz que sofria de estresse e ansiedade num nível que estava atrapalhando seu cotidiano:

> Sou um homem de 32 anos com uma carreira de sucesso e uma namorada amorosa. Sofri muitos traumas na infância e na vida adulta e tenho alguns problemas de saúde. Atualmente, meus níveis de ansiedade são tão altos que toda manhã fico paralisado de medo. Sofro para tomar banho e me vestir e não tenho motivação para me levantar e sair.
>
> Mas não é só isso. Eu me sinto fisicamente mal com a ideia de deixar os confins seguros do meu quarto. Costumo assistir às mesmas séries de TV vezes e mais vezes por escapismo. O único momento em que realmente me sinto seguro é à noite, quando todos estão dormindo e fico sozinho — o mundo é tranquilo e sou apenas eu.
>
> Sou apavorado em relação a desastres e ao que as pessoas esperam de mim. Sou apavorado de ficar preso nas expectativas delas e não conseguir atendê-las. Fico desmotivado no trabalho e é difícil ter o desempenho que deveria. Tenho um cargo de alta pressão e me sinto profundamente inseguro o tempo todo. O que posso fazer?

Um tempo sozinho é a forma que esse homem tem de recuperar o equilíbrio. Reprisar um programa de TV no qual ele sabe exatamente o que vai acontecer significa que ele tem controle sobre o futuro porque pode prever o resultado precisamente. É compreensível que ele ache isso relaxante, considerando que sofreu traumas na vida. Vamos explorar o assunto mais a fundo neste capítulo, mas muitas vezes trauma significa sofrer choques. Ao que parece, esse homem mantém o corpo num estado constante de prontidão. Seus músculos tensos vivem ansiosos, uma forma de prepará-lo para que ele não sofra o choque da próxima vez que "aquilo" acontecer — o que quer que seja. Assim como ele, caímos na armadilha de organizar nosso corpo em relação ao passado, e não ao presente. Ficamos fixados na preocupação, e isso não ajuda tanto quanto inconscientemente pensamos que ajude.

Para administrar o estresse, desenvolvemos mecanismos de enfrentamento. Para alguns, pode ser falar abertamente sobre as coisas; outros usam a meditação, a psicoterapia, a religião ou o exercício. Outras estratégias de enfrentamento, menos produtivas, são alcoolismo, excesso de trabalho, ficar obcecado pelas aparências em vez de pelas sensações. Virar a noite trabalhando, viver para o trabalho, negligenciar suas necessidades físicas e não ter vida social não é um problema como um paliativo de emergência, desde que o modo de emergência não se torne a regra. As formas menos saudáveis de enfrentamento às vezes se tornam insustentáveis e geram uma crise quando o corpo cede ou se rebela contra a forma como está sendo tratado. Uma mulher me escreveu porque um antigo transtorno alimentar ressurgiu por causa da pandemia e da morte do marido, décadas depois que ela pensava ter se recuperado. A anorexia era um antigo mecanismo de enfrentamento e não surpreende que ela recorra a isso num momento de estresse intenso. E ela não é a única: muitas pessoas recaíram em comportamentos autodestrutivos durante a pandemia porque foi um período estressante e avassalador. Não é vergonha nenhuma ter momentos em que há coisas demais com as quais lidar. Nossa força não está em nossa resiliência, e sim em reconhecer e assumir nossa vulnerabilidade. A última coisa de que uma pessoa numa posição difícil precisa é se sentir envergonhada — precisamos de ajuda e compaixão, a começar por nossa própria autocompaixão.

Se você precisa diminuir a velocidade dos seus pensamentos, lembro mais uma vez de prestar atenção na respiração. Experimente agora: pare de ler isto por dez segundos mais ou menos e observe como respira. Pare vinte segundos, e não importa se demorar mais ou menos do que esse tempo — quero muito que note sua inspiração e expiração. Isso é ter contato consigo mesmo no presente. Quando presta atenção na sua respiração, você respira mais devagar? Antes de se levantar pela manhã, continue deitado na cama e fique atento a sua respiração por um minuto ou dois. Sua atenção vai divagar; traga-a de volta. Não sei você, mas parei de digitar por um momento e fiz esse exercício e me sinto um pouquinho mais calma — todo tiquinho de calma ajuda. Cinco minutos por dia se concentrando na sua respiração já fazem uma diferença positiva.

Do mesmo modo, se você se sentir ansioso, um exercício útil é prestar atenção no seu corpo e notar quais músculos estão tensos e quais estão relaxados. Gosto de usar o exemplo de um cachorro resgatado. Imagine que você adota um cachorro resgatado. Você ergue a mão para fazer carinho e ele se encolhe, porque tem medo de que você possa bater nele. Essa reação é baseada nas experiências passadas, mas se tornou uma maneira instintiva de o cachorro organizar seu corpo no presente. Nós agimos da mesma maneira. Se fomos hipervigilantes no passado por algum motivo, nosso corpo permanece tenso no presente, o que, por sua vez, afeta como nos sentimos. Guardamos emoções no corpo. O que podemos fazer é notar como organizamos nosso corpo quando estamos pensando ou sentindo determinadas coisas, e então começar a desfazer isso. Experimente tensionar onde já está tenso e desabar onde está relaxado, um nó de cada vez, e note como se sente ao fazer isso. Faz com que você se sinta mais ou menos ansioso? Isso te tranquiliza ou te estressa? É mais fácil ficar tenso do que simplesmente relaxar e, quando nos tornamos mais conscientes de como ficamos tensos, podemos começar a aprender como desorganizar esse sistema. Esse exercício também ajuda a sair da sua mente e se aprofundar nos seus sentidos.

Outra técnica que recomendo para conter o turbilhão de ansiedade é pôr seus medos no papel, numa lista numerada. Escreva da maneira mais específica possível. Depois mude todos os "e se" por "e daí se" e veja como você se sente ao alterar a linguagem. Acredito que todos precisam desenvolver e cultivar seu observador interno. Notar o que você sente quando está estressado, ansioso ou superocupado pode não ser sua maior prioridade, mas deveria, porque nossos sentimentos são como luzes no painel de um carro. Não acharíamos que tirar a luz de aviso de combustível seria a melhor estratégia de direção e, da mesma forma, precisamos observar nossos sentimentos, em vez de reprimi-los. Eles existem para nos dizer quando precisamos descansar, nos divertir e nos conectar com os outros. Quando ignoramos os sentimentos, eles gritam mais alto; em outras palavras, fazem com que nos sintamos pior. Ignorar sentimentos e não os levar em consideração significa correr o risco de um motim emocional. Sentimentos são como funcionários: se você ignorá-los ou reprimi-los, eles vão se rebelar. Meu conselho é dar ouvidos a eles, levar suas informações em consideração ao tomar decisões e usá-las para ajudar. Não queremos nem ignorar nem ser dominados por eles. Assim como na maioria das coisas, desejamos um meio-termo, o que significa tomar nossas decisões consultando tanto a cabeça como o coração.

Quando observamos nossas emoções, podemos usá-las em vez de ser usados *por* elas. Isso significa notar um sentimento quando ele começa a surgir, escutá-lo e só então agir. Quando observamos um sentimento, corremos menos chance de nos tornar esse sentimento. Voltando ao homem que me escreveu, existe uma diferença entre dizer "sou apavorado" e "me sinto apavorado". "Sou apavorado" define uma pessoa inteira, ao passo que, em "me sinto apavorado", há uma parte da pessoa que observa com certo distanciamento e, portanto, ainda está disponível para tomar uma decisão. Podemos levar nossos sentimentos em consideração, sem que sejamos meramente uma reação a eles.

Como, então, podemos desenvolver nossa parte observadora? Recomendo manter um diário de humores, sensações e observações. Trata-se de uma parte sua que simplesmente observa as emoções e sensações que tem — não parte da sua gratidão, ansiedade, amor ou medo. Isso significa que, em vez de dizer "Sou ansioso", você vai dizer "Noto que estou me sentindo ansioso". Crie uma sensação de distanciamento entre você e sua sensação negativa. Você pode separar ainda mais atribuindo uma persona a ela, chamando-a de "sr./sra. Ansiedade",

> **SABEDORIA DO DIA A DIA**
>
> Observe seus sentimentos, mas não se torne seus sentimentos. Isso significa manter uma pequena parte sua neutra para fazer a observação, em vez de permitir que seus sentimentos o dominem por completo.

ou o que fizer sentido para você. É um ajuste pequeno, mas você vai ver que faz uma grande diferença. Quando dei esse conselho ao homem que me escreveu, ele respondeu que identificar e nomear a ansiedade tinha feito muito mais diferença do que ele imaginaria ser possível. Também é provável que compartilhar como nos sentimos, mesmo num e-mail para uma estranha, tenha aliviado seu fardo, uma vez que escrever lhe deu uma chance de se observar, em vez de ser completamente consumido por sua ansiedade.

Muitas pessoas me escrevem especificamente sobre estresse e sobrecarga no trabalho. Todos sabemos que existem estatísticas sobre burnout, mas o que podemos fazer para cuidar de nós mesmos como indivíduos é limitado — a cultura também é culpável. Se contribuímos para uma cultura na qual é aceitável demonstrar força, mas não vulnerabilidade, somos parte do problema. Se valorizamos mais os lucros do que as pessoas que os criam, somos parte do problema. Acredito que a imoralidade de tirar o máximo proveito possível de funcionários e terceirizados pelo mínimo possível não deve ser escondida atrás de ofertas de sessões de terapia e workshops de mindfulness. Desprezar nossos trabalhadores é tão perigoso quanto ignorar nossos sentimentos. Precisamos de ambientes de trabalho onde escutemos uns aos outros, tenhamos consideração uns pelos outros e trabalhemos com, e não contra, os outros.

SUPERANDO SEU CRÍTICO INTERIOR

Todos temos um crítico interior, mas os de alguns fazem mais barulho. Assimilamos os sistemas de crenças das pessoas com quem convivemos durante a infância. Se fomos tratados como se não tivéssemos valor ou se só éramos bons se fôssemos como eles, essa forma de pensamento terá se tornado familiar. Aprovação insuficiente pode levar a uma convicção de que não somos suficientes em certo sentido. Isso se manifesta num desejo de provar nosso valor, uma vontade de mostrar àqueles que nunca acreditaram em nós que somos capazes sim de conquistar coisas. No entanto, mesmo quando conquistamos o que nos dispomos a provar, nunca parece ser suficiente. Para muitos, essa é a base da nossa autocrítica — nosso crítico interior que nunca está satisfeito.

A carta a seguir é um exemplo de uma pessoa que tem um crítico interior particularmente forte:

> Sou uma mulher de quase quarenta anos e percebi recentemente que não faço ideia do que me faria feliz. Sou casada com filhos e uma boa carreira. Temos uma situação financeira confortável. Não há nada do que reclamar. Mas o que sempre quis na vida é ser escritora. Tive três livros comprados por uma grande editora, mas não fizeram sucesso. Por isso, embora as pessoas digam que deveria me orgulhar, eu me vejo como um fracasso. Vivo me repetindo para não desistir, mas é cada vez mais difícil encontrar um motivo para continuar tentando. Eu me apego a meu antigo sonho por hábito e porque é uma centelha fugidia de esperança numa paisagem cinzenta.
> Como aprender a sentir prazer com o que tenho e parar de me sentir tão vazia?

Essa mulher queria ser escritora e agora é escritora, mas tem uma voz interna dizendo que é um fracasso. Normalmente, essa voz não é tão útil quanto parece. Se você se identifica com essa história e também tem uma voz lhe dizendo que não é suficientemente bom, inteligente ou seja lá o que for para correr atrás do que deseja, gostaria de perguntar: de onde ela vem? Essa voz é sua? De quem ela o faz lembrar? Um pai ou uma mãe que tinha tanto medo de fracassar que nunca arriscou nada? Um professor excessivamente crítico? Alguém ou algo que dizia que o sucesso visível significa tudo e fazer algo porque funciona para você não significa nada? Quem quer que seja, essa pessoa pode ter tentado ajudar, mas acabou fazendo o contrário. Tome cuidado para não se estressar pensando que deveria brilhar mais e, depois, mais ainda para provar que os outros estavam errados.

Nossa missão é reconhecer esse crítico interior. Podemos aprender a observá-lo em vez de partir do princípio de que ele está certo. Ele não é certo, ele é familiar. Existe uma diferença. Não vamos conseguir silenciá-lo, ele vai continuar falando, mas podemos observá-lo, pegá-lo e levá-lo para uma pequena cela à prova de som — e trancá-lo lá dentro. Ele vai encontrar uma chave para sair de vez em quando, mas aí dizemos: "Ah, oi, você voltou, hoje não, obrigado". Não tenha um diálogo nem interaja com ele. Perceba quando se descreve negativamente e se distancie desses pensamentos autocríticos. Eles não são verdadeiros. São um hábito, e só vão te botar para baixo.

Claro, erramos, mas erros são o que fazemos para aprender algo. Se cometermos um erro, é algo específico que normalmente pode ser consertado. A voz crítica, por outro lado, faz censuras que são grosseiras e generalizadas. Ela não diz coisas construtivas como "Você pôs óxido de cobre demais nesse esmalte, por isso ficou preto e não verde"; em vez disso, vocifera: "Você é inútil, nunca vai ser bom em cerâmica". É assim que você sabe que é o seu crítico interior falando e que precisa ir para longe dele.

Em vez de dar ouvidos ou, pior, obedecer ao seu crítico interior, direcione sua energia para coisas que tragam alegria. Faça o que for na vida levando em conta seus desejos, esperanças e sonhos. Às vezes, cometemos o erro de acreditar que, para fazer alguma coisa, precisamos ser bons nela. Por sorte, essa não era a atitude do coral comunitário em que entrei. Não progredi muito no canto, mas adorei ser parte de um esforço conjunto e fiz bons amigos. Julgar-se como bom ou ruim não é o objetivo. Se você acha que algo precisa ser completamente brilhante ou então é completamente inútil, é provável que não esteja sendo realista. O objetivo é fazer algo que sempre quis. É libertador reconhecer isso.

Nosso crítico interior também aparece nos sentimentos de culpa. Há dois tipos de culpa: a útil e a neurótica. A culpa é como uma luz de alerta no painel; um sentimento que não deve ser ignorado. Podemos ter quase certeza de que é culpa útil se conseguirmos aliá-la a um comportamento específico que estamos ou não seguindo, e se for um sinal de que algo precisa mudar. Mas, se você estiver dando o melhor de si, é muito provável que a culpa esteja lá não porque você está dando o melhor de si, mas porque seu crítico interior está fazendo com que se sinta culpada. Isso é percebido mais como uma angústia que não pode ser definida por nada específico.

Se você se vir como um fracasso apesar de tudo e não conseguir silenciar o crítico interior, mude sua atitude em relação ao fracasso. Falhar é aceitável. Falhar é necessário. Quem nunca falhou nunca fez nada. Nosso sucesso ou falta dele está tão relacionado a como falamos conosco quanto a fatores externos. Penso isso em relação a um homem que me escreveu sobre seus sentimentos de inveja.

Cheguei recentemente à conclusão de que sou uma pessoa profundamente invejosa, o que está me causando muita infelicidade. Tenho inveja dos meus amigos, da minha namorada, das pessoas que acompanho nas redes sociais e de todos que considero terem um mínimo de "sucesso" ou talento. Qualquer atributo positivo que vejo em outras pessoas se torna algo que não tenho e, portanto, uma marca negativa no meu boletim.

Meus dias são passados me comparando e comparando meu trabalho aos de todos que encontro, para saber se sou mais "bem-sucedido" ou se estou me divertindo mais. Não consigo andar pela rua sem ver pessoas muito mais talentosas do que eu, artes que nunca vou conseguir produzir ou habilidades que nunca vou dominar.

Passo o tempo todo pensando obsessivamente que meu trabalho não é tão bom quanto o dos outros. Sou freelancer numa indústria criativa. E o trabalho de todos os outros está exposto para comparação. Isso provoca baixas de humor e depressão. Como matar o monstro de olhos verdes?

Não podemos matar o monstro de olhos verdes, mas podemos reenquadrá-lo. Diferencie inveja negativa de positiva. Pense na inveja negativa como o ciúme de não querer dividir nossa mãe com um irmão ou desejar mal àqueles que vemos como nossos rivais. E na positiva como quando alguém tem algo que queremos. Em vez de pensar nesse sentimento como algo ruim, pense nele como uma informação. Pode ser difícil descobrir o que queremos na vida, e a inveja nos ajuda a identificar nossas aspirações. Pense nela não como uma condição patológica, mas uma parte normal do processamento mental que nos ajuda a entender o que queremos e nos motiva a correr atrás disso.

Contudo, a inveja intensifica a voz do nosso crítico interior. Talvez, na infância, tenhamos criado o hábito de pensar em nós mesmos como inferiores ou superiores a um irmão ou irmã. Se for o caso, podemos agora estar transpondo isso para as nossas relações e nos comparando o tempo todo. Quando vemos o sucesso de outra pessoa como algo pessoal, como se aquilo se refletisse em nós e não fosse algo apenas relacionado a ela, comparamos seu sucesso externo com nossos sentimentos internos de inadequação. Em outras palavras, estamos comparando a aparência externa das pessoas com nosso mundo interior. Meu conselho é aprender mais sobre os mundos interiores dos outros. Fale sobre inveja com seus amigos, companheiros, colegas. Descubra como eles também a sentem. Quanto mais guardamos esses sentimentos invejosos dentro de nós, mais poder nosso crítico interior terá sobre nós.

Sempre haverá outras pessoas mais talentosas em algo: aprenda e trabalhe com elas, em vez de vê-las como rivais ou fontes potenciais de dor. Se alguém tiver uma qualidade que você sente que não está sequer em sua natureza adquirir, por que não juntar forças com essa pessoa? É por isso que trabalhamos em equipes — todos temos qualidades di-

> **SABEDORIA DO DIA A DIA**
>
> Pense na inveja como uma informação, algo que nos mostra o que queremos. A inveja pode ser um catalisador que nos ajuda a identificar e motivar a ambição.

ferentes para ajudar a solucionar problemas. Não precisamos fazer tudo sozinhos.

Preste atenção em seu monólogo interno; ele está preso num padrão familiar? Pergunte como você fala consigo mesmo diante da rejeição. Você pensa:

a. Aquelas pessoas não tinham visão. Não vou mudar nada e vou seguir em frente.

b. Elas estavam certas, vou desistir.

c. Aquele feedback foi difícil de aceitar. No entanto, parte dele é útil. Vou fazer algumas mudanças e continuar tentando.

Ser a, b ou c se deve mais provavelmente a todas as nossas experiências passadas acumuladas do que a uma escolha sobre a melhor maneira de seguir adiante no presente. Se você se pegar jogando o jogo da comparação, parabenize-se por se dar conta disso e mude o foco. Você não vai melhorar da noite para o dia, mas, com a prática, mudará isso ao longo do tempo. É apenas um hábito formado, e você é capaz de formar novos hábitos.

BODE EXPIATÓRIO

Nosso crítico interior também nos impede de enfrentar os problemas diretamente e, em vez disso, faz outra parte da nossa vida de bode expiatório. Uma mulher na casa dos setenta me escreveu relatando que se sentia consumida por remorso e decepção. Ela explicou, que, embora externamente pudesse parecer feliz, calma, extrovertida, com muitos amigos e interesses, essa fachada escondia sentimentos internos de insatisfação. Ela se arrepende de ter se casado jovem demais e sente que nunca amou de verdade o marido. Às vezes, deseja que ele desaparecesse, e esse sentimento a faz se sentir envergonhada, o que é agravado pelo apoio incondicional dele e pela continuidade do seu amor mesmo depois que ela teve um caso no começo do casamento.

Depois do caso, ela voltou para ele após alguns meses separados porque se sentia solitária, e desde então estão juntos há mais de cinquenta anos. Eles têm filhos e netos, e ela reconhece todos os motivos para ser grata, mas ainda assim se arrepende de não ter escolhido um companheiro que achasse mais atraente e apropriado. Ela sente algo parecido em relação à carreira, que a interessa e parece bem-sucedida vista de fora, mas na verdade não a satisfaz. Ela me escreveu porque queria eliminar esses pensamentos invasivos de insatisfação e remorso e encontrar contentamento.

Pensar que sempre existe uma escolha perfeita é um sistema de crenças que deve ser questionado. Tenho uma leve desconfiança de que a questão não é que essa mulher fez uma má escolha em relação ao marido, mas sim que supõe que qualquer escolha que faça é errada. Por isso sente o mesmo em relação à carreira, apesar de continuar interessada por ela. Claro, todos precisamos ponderar em momentos de decisão e é normal ter arrependimentos, mas acho que uma parte dela sabe que essa insatisfação é um problema interno. Afinal, ela não pediu ajuda para encontrar outro marido ou outra carreira. Identificou corretamente que o problema são os pensamentos invasivos, portanto no fundo sabe que não são suas escolhas, mas sim os pensamentos em relação a elas que estão estragando tudo.

O sentimento geral dessa mulher é de insatisfação, e sua forma de alimentar essa insatisfação e mantê-la viva é jogando o jogo do arrependimento. Ela se arrepende do casamento e da carreira. E eu não ficaria surpresa se ela se arrependesse da faculdade que cursou ou da casa em que decidiu morar. Então o que está acontecendo aqui?

Essa pessoa está jogando o jogo do arrependimento, e são muitos os outros jogos, ou formas habituais de pensamento, com que podemos nos atormentar. Alguns preferem o jogo da preocupação: assim que uma preocupação é aliviada, outra surge. Ao jogar esses jogos, evitamos nos questionar por que acreditamos que a causa do nosso humor é externa, e não interna. Não estou dizendo que situações e acontecimentos externos não devam ou não vão ter um impacto na forma como nos sentimos. Estou tratando aqui da nossa condição ou nosso humor no geral, e como podemos ficar presos nele mesmo se não for um estado agradável. A boa notícia é que temos o poder de mudar isso.

Nos anos 1960, uma das poucas formas que havia de controlar a epilepsia grave era cortando as vias neurais entre os hemisférios esquerdo e direito do cérebro. Para testar isso, o neurocientista Roger Sperry e sua equipe fizeram alguns experimentos para ver o que aconteceria quando o lado direito e o esquerdo do cérebro não conseguiam se comunicar. O que descobriram foi que os humanos sempre encontravam um motivo para sentirem o que sentiam, e muitas vezes era pura balela. Criamos histórias e razões completamente inventadas ao redor dos nossos sentimentos.

> **SABEDORIA DO DIA A DIA**
>
> É muito mais fácil culpar algo externo pelo nosso descontentamento do que buscar a causa dentro de nós.

Quando os cientistas mostravam o comando ANDE apenas para o campo visual do lado direito do cérebro (tampando o olho direito — o olho esquerdo se conecta ao hemisfério direito, e vice-versa), os indivíduos se levantavam e andavam. Quando questionados por quê, eles sempre davam um motivo. Não diziam "Não sei", "Senti vontade" nem "Os pesquisadores me mostraram um cartaz". Não, o que fazemos nessa situação é inventar uma narrativa: parece que não conseguimos evitar. Alegavam coisas como "Precisava de uma coca-cola" ou "Estava um pouco tenso e precisava me movimentar". Em outras palavras, a parte do cérebro que encontra sentido, que no experimento ficava isolada da parte do sentimento, criava uma história.

Encontramos motivos para nossos sentimentos e comportamentos mesmo quando os hemisférios do nosso cérebro não estão separados. E, quando o cérebro não encontra um motivo, não é incomum nos voltarmos para a pessoa ou o objeto mais próximo e pensar que esse é o motivo de estarmos infelizes. Analisando nosso estudo de caso, o suposto motivo para a insatisfação da nossa heroína é ter se casado com o homem errado ou ter se casado jovem demais. Embora ela tenha se sentido pior sem o marido do que com ele, ela ainda se apega à narrativa de que o motivo do seu descontentamento é que ele é errado para ela. Isso acontece porque é difícil examinar nossos verdadeiros sentimentos, reviver nossas memórias mais antigas e separar nossas razões da nossa experiência. É difícil sentir nossas emoções sem os pensamentos e as razões com os quais as justificamos.

Em minha experiência como psicoterapeuta, quanto mais carga emocional damos a nossa narrativa, menos provável é que essa seja a causa verdadeira. Se parar para pensar, somos emocionalmente neutros em relação a fatos.

Se eu disser que a grama é verde, mesmo que você ache que é azul, não vou ficar indignada com sua opinião divergente. Por outro lado, se contestar uma opinião minha que eu gostaria de acreditar que é um fato mas não passa de um ideia, vou me exaltar e minhas emoções vão se intensificar quando eu responder. Por exemplo, caso você diga que cachorros são animais de estimação melhores do que gatos, vamos ter uma briga acalorada. Acredito que, quando essa senhora pensa no marido, ela já tem uma emoção que sustente sua ideia de que é infeliz porque fez a escolha errada. Ela pode não ter feito. Ele pode ser um bom marido, e eu posso aprender a conviver com um cachorro. Criamos hábitos com nossos pensamentos e nosso pensar, mas são hábitos. Não são a verdade.

Às vezes, em vez de culpar objetos ou pessoas, descarregamos nossos sentimentos e experiências negativas em nós mesmos e nosso corpo. A dismorfia corporal é uma condição de saúde mental em que não conseguimos parar de pensar em um defeito que vemos em nosso corpo. Não faz diferença se os outros acham que é um defeito ou não — ainda assim, nos sentimos envergonhados e ansiosos, o que afeta nossa vida negativamente. A dismorfia corporal costuma resultar de abuso, bullying, ser excessivamente criticado ou violentado na infância. Falar abertamente sobre nosso corpo nem sempre é algo fácil de fazer, mas, se tivermos dificuldade para nos sentir à vontade em nossa forma física, é um primeiro passo importante.

Como exemplo, recebi uma carta de um homem de meia-idade que parece estar sofrendo de dismorfia corporal.

Tenho um pênis pequeno. Por volta dos catorze anos, fui zombado por um menino no vestiário da escola por "ter um pequenininho". Me senti humilhado. Até então, nunca tinha me passado pela cabeça que isso importava.

É algo que, de acordo com a mídia, é motivo de piada e me torna menos homem. A palavra "virilidade" é usada como um eufemismo que iguala traços masculinos desejáveis a um pênis grande.

Tenho 55 anos, sou pai de três filhos, e tenho um relacionamento feliz e amoroso com uma ótima vida sexual. Sem dúvida, você me diria que, se minha parceira está satisfeita, eu deveria superar minha insegurança. Tenho muito pelo que ser grato. É improvável que volte a ficar solteiro. Mas vivo preocupado, aborrecido e deprimido por causa disso há quarenta anos.

Minha criação foi daquelas em que esperavam que eu fosse um fracasso. Acabei desenvolvendo uma autoestima baixa arraigada lá no fundo e uma sensação de vergonha de não ser suficiente como pessoa. Portanto, "evidências" como essa de ficar "abaixo da média" reforçam meus sentimentos de inadequação. Fiz terapia, mas não senti que estava sendo levado a sério. Ainda fico arrasado por não conseguir estar "à altura" da forma como eu gostaria no mundo ideal. Tenho uma sensação de pura raiva que seja aceitável ridicularizar a metade dos homens com pênis abaixo da média de tamanho. "Ah, ele tem um carrão — o que está tentando compensar [risos]?" Como aprendo a me amar apesar desse atributo físico que me parece tão crucial (e estigmatizado pela maioria das pessoas) e me obriga a esconder minha vergonha?

A criação desse homem foi do tipo em que esperavam que ele fracassasse e ele foi levado a crer regularmente que era inadequado. Não acho que seja tanto o tamanho do seu pênis que dá evidências disso, mas sim o fato de que isso passou a simbolizar em sua mente como ele foi tratado durante a infância. Seu pênis se tornou o bode expiatório de todos os outros problemas da sua vida. Seu cérebro associou a vez em que foi humilhado sobre a aparência de uma parte sua no vestiário quando tinha catorze anos a todas as vezes que o fizeram se sentir inadequado. Os insultos dolorosos diários que sofria até então foram todos jogados em cima dessa parte inocente do seu corpo. Portanto, sempre que ele escuta algo sobre pênis pequenos, em público ou em particular, isso toca na ferida.

Há muitas maneiras de a dismorfia corporal se manifestar: em partes específicas do corpo, como o pênis desse homem, ou em nosso peso, altura, sexo, traços faciais, condições de pele — a lista é infinita. As especificidades são menos importantes do que o fato de que elas se tornam o símbolo da nossa dor psicológica. Quem sofre de dismorfia corporal pode chegar ao ponto de se afligir e ficar obcecado por esse aspecto do seu corpo, às vezes no fundo da mente, mas quase sempre em primeiro plano.

Muitos pensam que, se houvesse um procedimento seguro de cirurgia plástica para "consertar" essa parte detestada, eles estariam curados. Mas não seria tão simples porque nunca ficaríamos satisfeitos com o resultado: no caso da dismorfia corporal, não é a parte do corpo que está errada, é a parte do corpo que está levando a culpa pelos sofrimentos psicológicos sofridos na infância. Podemos pensar que a parte do corpo é culpada ou que a sociedade é culpada, mas, na verdade, a culpa é como fizeram com que nos sentíssemos sobre quem éramos durante a infância.

Embora pareça impossível calar a boca dessa voz crítica, podemos desenvolver uma relação diferente com ela. Se você se pega culpando outras pessoas, suas próprias escolhas ou seu corpo por sentimentos negativos, para tomar o controle dos pensamentos invasivos comece observando-os. Aceite que você não tem como impedi-los completamente, mas pare de levá-los a sério. Não fique à mercê dos seus pensamentos: observe-os em vez de se entregar a eles, e vai ser mais fácil não se afetar. É preciso prática diária. Crie tempo para isso. Essa sua voz crítica está mandando mensagens sobre você há anos, mas ela não tem nada a ver com a verdade, só é familiar.

Quando criar o hábito de observar, você vai ter mais clareza sobre como encara seus sentimentos e vai conseguir separá-los das razões que atribuiu a eles. Nem sempre temos uma razão para nos sentirmos da forma como nos sentimos. Se não conseguir suportar o vazio que isso cria (e não são muitos que conseguem, afinal somos seres criadores de sentido), inventamos uma história melhor. O bom das histórias que contamos é que podemos comandá-las. Crie uma história otimista. Isso não vai fazer com que seja verdade, mas, como eu disse no capítulo 1, se for para ter uma fantasia, que seja boa. Se conseguirmos olhar mais para os pontos positivos e menos para os negativos, seremos capazes de orientar nossos pensamentos.

> **SABEDORIA DO DIA A DIA**
>
> Não precisamos levar os pensamentos invasivos a sério: podemos apenas observá-los e não nos entregar a eles, e essa costuma ser a chave para uma vida mais feliz.

A dismorfia corporal extrema não melhora por conta própria. Se não for tratada, pode piorar com o tempo. Os tratamentos usuais são terapia comportamental e/ou medicação antidepressiva. Se você se identifica com essa condição, recomendo pedir informações a seu clínico geral. Embora não seja o tratamento-padrão, eu, particularmente, seria a favor de hipnoterapia, pois você vai precisar romper a conexão que criou entre a sua dor psicológica e o seu corpo.

COMO PROCESSAR O TRAUMA

Os efeitos de um trauma na infância são muito mais bem compreendidos agora do que eram no passado. Infelizmente, ouço muitas histórias sobre trauma e o impacto que ele causa, e todas tocam meu coração. Um homem me escreveu uma carta muito comovente sobre sua infância difícil, que ainda o assombra:

> Não sinto mais interesse em existir. Tenho um bom emprego, embora tenha levado um longo tempo e um esforço imenso para provar meu valor. Também tenho uma esposa incrível, um filho maravilhoso e outro bebê a caminho. Mas estou apenas existindo. O único momento de espontaneidade este ano fez a família inteira contrair covid. Sim, eu entendo, a vida é dura e é melhor engolir o choro.
> Me sinto assim desde criança. Passei por algo que você já deve ter escutado centenas de vezes: pai desaparece; padrasto violenta a família inteira; a mãe se torna um zumbi; minha irmã e eu nos sentíamos isolados. Fico obcecado pensando em desaparecer completamente (uma paisagem árida, fria, cortar lenha, sem celular) ou algo terrivelmente violento (ser atro-

pelado por um carro etc.). Outra fantasia que tenho desde a infância é o suicídio, mas, com dependentes financeiros, isso ficou em segundo plano.
    Queria não existir, nunca ter existido. Sinto minha vida toda contaminada e errada. Tenho certeza de que não vou tirar minha vida agora por causa dos meus filhos, então não tenho saída. Minha esposa sugere terapia. Sinto que a terapia só consegue ir até certo ponto. Duvido que a terapia pudesse tornar minha vida menos monótona e mais gratificante. Será que me daria as habilidades para aceitar a monotonia? E aceitar que eu deveria simplesmente continuar existindo, com o consolo de que um dia vou deixar de existir?
    Sei que isso tudo soa egoísta — filhos em primeiro lugar! —, mas, se não sinto absolutamente nada, como posso pôr as crianças em primeiro lugar, por mais que eu queira? Sinto que estou só matando tempo.

Ao supor que já ouvi experiências como a dele antes, esse homem menosprezou seu trauma por ser algo que acontece com muitas pessoas. Um acontecimento não precisa ser raro ou sensacional para ser traumático. Quando somos traumatizados, é como se a parte racional do cérebro se tornasse incapaz de tirar o lado emocional da realidade. Não temos como nos convencer dizendo que "deveríamos" nos sentir de uma forma diferente da que nos sentimos, e não é egoísta ser impactado por algo tão prejudicial. Não diríamos a alguém com a perna quebrada para engolir o choro, assim como não deveríamos dizer isso para alguém que sofre as consequências de um trauma.

Ao descrever que sua mãe se tornou um "zumbi", fico com a impressão de que ela pode ter entrado em dissociação e especulo se ele também não entrou. Quando a vida é assustadora e difícil de lidar, o que o corpo muitas vezes faz é dissociar. É como se nossa mente e nosso corpo se desconectassem para que não habitássemos nossa própria vida. A parte emocional do cérebro é bloqueada enquanto age continuamente para impedir que as sensações e memórias traumáticas cheguem à superfície. A parte racional de nós pode sair para trabalhar, ganhar dinheiro, criar boas conexões e bons relacionamentos, mas não nos resta nada com que sentir ou apreciar isso. Isolar-se de sentimentos é uma maneira de sobreviver ao abandono e ao abuso: é um reflexo corporal. Permite que a mente saia quando o corpo está preso.

O problema da dissociação ou repressão é que não temos como dessensibilizar apenas um tipo de sentimento sem desligar todos e, infelizmente, isso continua até muito depois que a ameaça se foi. Até sabermos o que é a dissociação e como reconhecer quando ela está acontecendo, é difícil ou até impossível controlá-la.

Há formas diferentes de o corpo se dissociar e há diferentes tipos de tratamento disponíveis. Um ciclo terapêutico recomendado às vezes é a EMDR — *eye movement desensitization and reprocessing*, que em português significa dessensibilização e reprocessamento por meio do movimento dos olhos. O que isso faz é reconectar as partes emocional e racional do nosso cérebro, ajudando-nos a processar memórias e sensações de modo que possamos controlá-las, em vez de ser dominados por elas. Se reprimimos uma experiência e não a expressamos em palavras (ou imagens), quando algo posterior nos lembra daquele momento, temos os mesmos sentimentos que tivemos naquela hora. Ou então nos sentimos em perigo por reviver aqueles sentimentos, tendo um flashback como se o trauma estivesse acontecendo agora, no presente. Se nossos sentimentos forem de tristeza, vergonha ou medo, é mais fácil para alguns recorrer à raiva em vez de se atrever a se mostrar vulneráveis de novo.

É importante deixar o trauma no passado, senão o acontecimento é vivido como se ainda estivesse acontecendo. Por exemplo, se você foi ferido numa explosão de bomba durante uma guerra porque saiu de casa e, na sequência, reprimiu a experiência na sua mente, é possível que continue com medo demais de sair de casa mesmo se a guerra tiver acabado e as ruas estiverem mais seguras. Você pode até esquecer por que tem medo de sair à rua, mas mesmo assim não conseguir sair. É possível que crie uma obsessão por outros motivos pelos quais não seja seguro se aventurar a sair. Se processar a experiência de uma forma que distancie o passado do presente, você vai conseguir levar uma vida mais plena no presente e ficar livre do seu passado.

Quando temos coragem para pôr as coisas difíceis em palavras, assumimos o controle gradualmente. Quanto mais tiramos os demônios da caixa e olhamos para eles, menos assustadores eles se tornam — assim como, quanto mais usamos um lápis, menos apontado ele fica. Dito isso, existe uma linha tênue entre processar uma experiência traumática para torná-la administrável e revivê-la e se retraumatizar. O psicólogo Walter Mischel descobriu que falar sobre o trauma não necessariamente diminui seus efeitos negativos, como costuma ser recomendado, mas pode na verdade piorá-los se for realizado de uma forma prejudicial.

Quando alguém se lembra de algo horrível, aconselho a pessoa a manter contato visual comigo para que não volte ao pesadelo. Isso a ajuda a entender que, dessa vez, ela tem controle sobre a situação. Depois que o trauma pode ser expresso em palavras, ele pode voltar ao passado em vez de ser revivido como se ainda estivesse no presente. Facilitar esse processo é uma arte, e não uma ciência exata, e não existe garantia de que vá funcionar toda vez. Mischel desenvolveu uma boa técnica para isso: o efeito do trauma seria diminuído se as pessoas partissem de uma perspectiva externa e escrevessem um relato da experiência negativa, referindo-se a si próprias na terceira pessoa. Isso as distancia do evento doloroso, possibilitando que sejam mais reflexivas, e não autodestrutivas, a respeito do que aconteceu.

Existe um tipo de discurso sobre um evento traumático, em geral um término ou uma situação em que a pessoa sente que foi injustiçada mas tem certeza de que estava certa, que soa obsessivo ao ouvinte. Se alguém fala de maneira obsessiva sobre seu ferimento, parece que o está alimentando em vez de diminuí-lo. Quando ficamos fartos de nossos amigos fazerem isso, podemos dizer que estão "coçando a ferida". É de fato o equivalente psicológico de coçar uma picada de pernilongo. Se não parar de coçar, ela vai continuar a arder e acabar infeccionando. A cura é desenvolver autoconsciência para afastar os pensamentos em vez de ficar à mercê deles, e seguir em frente em vez de ficar presos. O que faz mal não é falar sobre um problema. Na maioria dos casos, isso é algo positivo, para não dizer essencial. Mas o que não ajuda é continuarmos revivendo o trauma sem aprender a nos distanciar dele e sem ter controle sobre a memória.

Concordo com Mischel que chafurdar no trauma pode fazer mais mal do que bem. Mas a tática de avestruz também não ajuda a superar. É complicado. Recomendo fortemente *O corpo guarda as marcas*, de Bessel van der Kolk, a todos os interessados em aprender mais sobre trauma. Ele explica como o trauma afeta o corpo, traça a história da terapia de trauma e descreve os tratamentos mais usados, incluindo drogas, conversas e terapias corporais. É um livro fácil de ler, com histórias pessoais e estudos de caso. Se fomos traumatizados e ainda vivemos as sequelas disso, é útil aprender sobre todos os tratamentos diferentes, suas vantagens e desvantagens, o que nos dá mais controle sobre qual opção seguir.

Se, assim como o homem na carta, você não sente nada e não consegue ver por que seguir em frente, quero que saiba que não vai se sentir assim para sempre. Só porque a ajuda que recebeu no passado não surtiu efeito, não significa que você seja um caso perdido — significa que você recebeu o tipo errado de ajuda. Os sentimentos, mesmo os mais desesperadores e sombrios, passam, às vezes sem que você faça nada.

Recentemente troquei e-mails com um homem que estava à beira do suicídio porque a mulher ia deixá-lo, o que ele achava compreensível por vir se sentindo muito desanimado. Ele tinha programado uma mensagem para mim; o planejado era que chegasse depois que ele tirasse a vida. Quando a recebi, respondi dizendo apenas para ele ligar para uma linha de apoio à prevenção do suicídio. Felizmente, ele tinha se enganado em relação ao horário programado e minha resposta chegou a tempo. O fato de eu ter respondido alterou seu humor, então ele notou um trinco de janela quebrado e passou a tarde consertando aquilo. Quando me respondeu, não se sentia mais suicida. A depressão não passou, mas parece que um simples e-mail foi o suficiente para que ele conseguisse encontrar propósito e sentido em passar a tarde consertando um trinco de janela quebrado, o que o tirou do percurso que estava seguindo.

Respondi de volta, pedindo para ele me fazer um favor e marcar uma consulta com seu médico para falar como se sentia e sobre sua tentativa de suicídio. Também pedi para me contar o que o médico disse, e fico contente em dizer que recebi notícias um tempo depois. Ele tinha ido a uma consulta inicial com um clínico geral, quando então foi encaminhado à unidade mais próxima de atendimento de emergência e à organização Healthy Minds. Esse é um exemplo de como um momento pode passar. Não estou dizendo que meu correspondente está fora de perigo, mas, como ele me mandou a mensagem antes do que havia planejado e como, por acaso, eu lhe respondi imediatamente (algo muito raro), ele está vivo hoje. E você vai notar que não há nada de especial no que fiz. Falei para ele ligar para uma linha de apoio — o que, no fim, ele nem fez —, então o conselho não era a questão. Uma pequena conexão como nossa troca de e-mails fez a diferença, não o que eu disse nela, e o ponto central é que momentos passam. Se você se encontrar num momento muito sombrio, por favor, entre em contato com uma rede de apoio — esse momento vai passar.*

ENCONTRANDO REALIZAÇÃO

Tomamos decisões com base sobretudo em dois aspectos: como sentimos as coisas internamente e, por outro lado, como as coisas parecem para nós e para os outros externamente. Chamo isso de referenciamento interno e externo. Às vezes, esses dois motores estão em desacordo entre si.

* No Brasil, você pode ligar para o Centro de Valorização da Vida (CVV) pelo número 188, que atende 24 horas. Também é possível entrar em contato por chat ou por e-mail; não é necessário estar em uma crise para procurar ajuda. Num caso mais extremo, você pode ir diretamente a um hospital ou ligar para o Serviço de Atendimento Móvel de Urgência (SAMU), no 192, se precisar de uma ambulância. (N. E.)

Para encontrar realização, você precisa considerar mais a referência interna sobre como se sente do que a externa sobre as aparências — mesmo se parecerem valer a pena. Recebi uma carta de uma professora que sentia dificuldade em conciliar as duas coisas:

> Por que definimos as pessoas de acordo com o que elas fazem? Estou pensando se isso não limita a minha vida. Sempre que conheço alguém, a conversa inevitavelmente se volta para: "E o que você faz?". Por enquanto, estou pronta para essa pergunta. Sou professora.
>
> Apesar de me sentir realizada no trabalho, há também a carga mental de supervisionar não apenas a educação dos alunos, mas cada vez mais o bem-estar deles, e é difícil conciliar as responsabilidades familiares e profissionais. Vivo pensando em trocar isso por algo que não ocupe tanto espaço mental. Ser professora é como me defino há vinte anos. Como conseguiria me ajustar se me descrevesse com um trabalho que exigisse menos formação? Não consigo me imaginar dizendo "Reponho prateleiras no supermercado" ou "Trabalho numa creche de cachorros". Quando tento conversar sobre isso com meu pai, ele diz que ficaria "decepcionado", pois adora falar para as pessoas que sou professora.
>
> Perguntei para minhas filhas o que elas gostariam de ser quando crescessem, e talvez sem querer tenha demonstrado mais aprovação quando escolhiam carreiras que exigiam mais formação, mas agora percebo que tudo o que desejo é que elas sejam felizes. Então como encontrar coragem para ser apenas eu, sem um rótulo? E como inspirar isso em minhas filhas?

Muitos se esforçam para serem vistos fazendo a coisa certa, assumindo tarefas pelo currículo, e não pela satisfação no momento presente. Se temos o privilégio de poder escolher qual tipo de trabalho vamos fazer, é importante que gostemos de como nos sentimos quando estamos envolvidos no trabalho. Acredito que isso é mais importante do que meramente gostar da ideia do trabalho. Ele deve ser satisfatório não só porque pega bem para você e para os outros, mas porque traz uma sensação boa.

Eu aconselharia quem se identifica com a carta dessa professora a aprender a usar mais referências internas — o que significa pensar em como se sente em relação às coisas —, e menos externas — como as coisas aparentam ser. Não estou dizendo que todo referenciamento externo é negativo. O outro extremo também pode ser perigoso: se não nos importarmos nem um pouco com as aparências, nos tornamos incapazes de fazer as adaptações necessárias de acordo com a cultura em que vivemos. No entanto, em termos gerais, nossas decisões precisam ser menos baseadas nas aparências e mais em nossas sensações. Pode parecer senso comum, mas estou dizendo isso com todas as letras porque, quanto mais expressamos isso em palavras, mais fácil passa a ser de lidar.

Os símbolos de status a que nos apegamos não são os mesmos para todos. Não significa muito para alguém fora da esfera jurídica se você for um juiz distrital, um juiz da mais alta corte ou um juiz de recurso, porque a maioria das pessoas ouve apenas "juiz". Poucos pensariam mais ou menos de você por ter um cargo ou contrato em vez de outro, e você não vale menos se estiver entre contratos. Essas distinções não parecem importantes para pessoas fora desses mundos.

Vejo isso acontecer tanto em relacionamentos como em carreiras, com pessoas permanecendo em casais infelizes porque, se as coisas parecem bem quando vistas de fora, isso basta. Lembro-me de receber uma carta de uma jovem em desespero porque seu ex-namorado havia terminado com ela, mas, na mesma carta, ela descrevia o relacionamento como distante e punitivo, e diz que a vida sexual deles "sempre foi ruim". No entanto, sua família sempre comentava "como eles pareciam felizes". Por que isso é suficiente? Não acho que deva ser. Em geral, as mulheres ouvem que a realização está num marido e filhos, e que a verdadeira felicidade não é encontrada em nenhuma outra área. Acho que muitas têm essa ideia guardada no fundo do seu inconsciente. Não culpo nenhuma mulher por assimilar o sonho que vendem às meninas: um dia, seu príncipe vai aparecer e levá-las para um castelo mágico. Mas essa ideia é apenas uma introjeção (ou seja, adotamos inconscientemente uma atitude cultural ou uma atitude que vem de outras pessoas e pensamos que é nossa).

Para sair disso e encontrar realização, precisamos destrinchar tudo o que está implicado ou que nos dizem sobre o que é felicidade. Em seguida, pôr de volta apenas o que é verdadeiro para nós como indivíduos. O melhor é que essa é uma jornada estimulante de incerteza e curiosidade. Podemos ficar surpresos com o que descobrimos. Veja esta carta que recebi de um estudante de medicina:

> Gosto de estudar medicina porque quero ajudar as pessoas, tocar suas vidas e fazer a diferença. Acredito que ser médico proporciona muitas oportunidades para ser um membro produtivo da sociedade. A medicina está no topo da lista de coisas que acho importantes porque vai ser minha profissão. É especial porque afeta a vida das pessoas de verdade. Mas sinto uma distância

crescendo entre mim e a medicina, o que não entendo, pois dou muito importância a ela.
Sinto que posso estragar tudo facilmente. Vou começar a residência no outono e queria aprender um pouco de fisiopatologia durante o verão. Aprendi muitas coisas sozinho: inglês, alemão, francês, geometria, biologia, e sempre adorei fazer isso. Mas não consigo me sentar à escrivaninha para estudar medicina. Sinto o desejo, mas... bom, simplesmente não consigo. Tenho a impressão de que nunca vou saber nada. Sempre vão me faltar informações.
Tudo parece importante demais e não consigo aproveitar, porque é tudo tão sério, uma situação de vida ou morte. Há uma forma de ver a medicina como menos importante, menos dura, menos arriscada, menos pesada? Algo divertido, agradável, prazeroso?

A maioria das pessoas tem uma subpersonalidade de Força de Vontade e uma de Rebelde Interior. A Força de Vontade tem as palavras, mas o Rebelde Interior tem a ação. Muitas vezes, sabemos o que a Força de Vontade deseja e o que o Rebelde Interior não quer — seja lá o que for que você ache tedioso ou chato, por mais que seja "bom para você" —, mas e o que ele quer? Precisamos entender melhor nosso Rebelde Interior, ou então ele vai continuar inventando desculpas para fugir do que não quer fazer.
Muitos experimentos demonstram que, em geral, os idosos são mais contentes do que os jovens. Ficamos mais contentes porque, quando começamos a nos aproximar do fim da vida, não estamos tão ligados no futuro como quando somos jovens e temos muito pela frente no que pensar. Vivemos no presente e aproveitamos cada dia porque sabemos

que esses dias são limitados. Esta é uma lição para todos: viver mais no momento presente, e não no que já aconteceu ou que ainda vai acontecer. Tínhamos uma frase em minha formação em psicoterapia que dizia: "Se você tem um pé no passado e um pé no futuro, está mijando no presente".

Claro, não existe uma solução única. Se nunca houvesse planejamento nenhum, não seríamos organizados nem faríamos compras, e nunca teríamos nada na geladeira. É bom que nos obriguemos a fazer o dever de casa com a Força de Vontade quando somos jovens para que possamos ter um estilo de vida melhor adiante. Mas acho importante perder o hábito de sempre planejar e se preocupar com o futuro e, em vez disso, saber que o dia presente pode ser um caminho para o contentamento. Ficar mais velhos e frágeis nos permite ver o que nos traz alegria e satisfação, o que costuma ser nossas relações: com família e amigos, com vizinhos e donos de loja, mas também com livros antigos, pinturas, pertences e ideias.

Nosso Rebelde Interior sempre quer se divertir um pouco, talvez alguma intriga romântica, algum tipo de lazer. Descubra o que ele quer e faça um acordo com ele. Senão, seu corpo vai se rebelar. Isso significa dar tanta atenção à programação de lazer quanto à de trabalho. Como Yehudi Menuhin dizia: "Qualquer coisa que você queira fazer e que realmente ame deve ser feita todo dia. Deve ser tão fácil e natural como o voo de um pássaro. E não se pode imaginar um pássaro dizendo: 'Hoje estou cansado e velho, não vou voar'".

Somos muito mais do que uma mera função — um médico, uma professora, uma namorada, um pai ou seja lá o que for. Não deixe a ideia da função nem os sentidos que você atribui a essa função te apagarem como pessoa. As pessoas ao nosso redor não querem apenas alguém que represente um papel — precisam de alguém real com quem se relacionar. Tenha curiosidade para saber se seus desejos têm referências internas ou externas. Investigue o que sua parte da subpersonalidade da Força de Vontade quer e por quê, e o que sua parte do Rebelde Interior também quer.

Não precisamos escolher entre cabeça e coração, podemos ter os dois. Nossa cabeça pode ouvir nosso coração e levá-lo em conta ao tomar ou não decisões. Para descobrir o que desejamos, devemos escutar tanto nossa cabeça como nosso coração. Haverá algumas descobertas a fazer, vivendo no momento e nos perguntando como nos sentimos sobre nossas experiências e permitindo que esses sentimentos sejam um guia, em vez do que achamos que deveria nos fazer felizes.

> **SABEDORIA DO DIA A DIA**
>
> Aprenda a buscar mais referências internas e menos externas. Querer fazer uma coisa — gostar dela, ter prazer com ela — é motivo suficiente para investir seu tempo.

Encontrar realização significa descobrir um meio-termo entre duas partes de você. E, se perceber que está preso numa carreira ou situação que só parece boa vista de fora, volte ao capítulo 3 e lembre-se de que nunca é tarde demais para mudar de direção.

NOSSA BUSCA POR SENTIDO

No livro *Em busca de sentido*, Viktor Frankl fala sobre um homem que se consulta com ele porque não aguenta mais viver depois da morte da esposa. Frankl lhe pergunta o que aconteceria se ele tivesse morrido primeiro e a mulher tivesse de viver mais do que ele. O homem responde que teria sido terrível para ela, que ela teria sofrido muito. Frankl argumenta então que o sofrimento dele significava que ela havia sido poupada dessa dor, mas a troco de viver mais e lamentar a perda dela. O sofrimento deixa de ser sofrimento no momento em que encontra sentido. Frankl não teria como reviver a esposa do homem, mas conseguiu mudar a atitude dele em relação a seu sofrimento.

Frankl também cita Nietzsche: "Aquele que tem um porquê para viver consegue suportar quase todos os comos". Os filósofos existencialistas argumentam que a vida é insignificante e que nossa missão é aceitar isso. Normalmente, tentamos resolver o problema da falta de sentido criando sentido na morte para suavizar o pavor da aniquilação e a desolação da falta. Uma religião pode oferecer reencarnação, vida eterna ou nuvens fofinhas onde se sentar enquanto toca sua harpa. Alguns arriscam a negação. "Não tenho medo de morrer." Sério? "Ah, não, quando morrer, morri, e pronto." Sério? "Claro, se eu for a última pessoa viva, se toda a minha família se for antes, daí vou ter medo de ficar sozinho, mas da morte? Ah, não, da morte não tenho medo." "Então por que", você pode perguntar, "você grita quando os freios do seu carro falham ou quando está numa montanha-russa?" Gritamos porque temos um pavor inato da morte, por mais que tentemos nos tranquilizar racionalizando ou negando que esse medo exista.

A única coisa que podemos fazer é encontrar sentido na morte. Pegue da prateleira um dos sentidos já prontos da filosofia ou da religião ou invente um novo só para você. Sinto que, quando eu morrer, uma pequena parte de mim vai continuar vivendo nos outros porque os amei, e espero que eles carreguem esse amor consigo. Isso é tudo criação de sentido. Eu o criei a partir do que sinto, mas também o criei do nada, para me tranquilizar. Me incomodo quando digo isso em voz alta porque é só um fio delicado de salvação que me deixa vulnerável, além de soar banal e improvável, mas, como muitas pessoas que têm crenças improváveis, eu me sinto irracionalmente defensiva em relação a isso.

Se olharmos a carta de Kate, uma mulher que está morrendo, podemos ver o que é importante para ela:

Preciso da sua ajuda. Especificamente, a ajuda de uma terapeuta mulher, na verdade. Embora eu tenha um terapeuta excelente e prestativo que me ajudou muito nos três anos desde que fui diagnosticada com um maldito câncer aos 43 anos, acho que a coisa que quero fazer deve ser muito feminina, pois quando a mencionei, ele disse: "É o que as mulheres fazem".

Resumindo: casada e feliz com um homem maravilhoso. Nenhum filho meu, madrasta de uma enteada de 24 anos. Eu vivia ocupadíssima trabalhando quando recebi um diagnóstico terrível de câncer. Muita químio, muito chororô. Prognóstico terrível. Mesmo assim, sigo em frente e escrevo isto de um hotel numa viagem a Londres. Bastante em paz com a morte, embora eu obviamente sinta muito pelo fato de ela vir tão cedo. É a parte de viver até o fim que está acabando comigo.

Tenho o desejo de administrar minha morte iminente do além. Fantasio sobre a música do funeral, como fazer com que funcione para todos, como se estivesse pensando num casamento. Sinto como se estivesse sendo obrigada a sair de casa, deixar a porta aberta e não me importar com o que vai acontecer em seguida. Para começar, o gato fugiria, porque meu querido esposo nunca fecha a porta.

Observar meu marido sensível me ver morrendo é agonizante demais para suportar e não quero abandonar a festa: estamos nos divertindo muito. Acho que ele gostaria que eu continuasse "por perto" de algum modo depois da morte. E eu também gostaria disso. Talvez eu tenha respondido a minha própria pergunta.

Devo pedir para um amigo enviar um cartão de aniversário para ele todo ano por quarenta anos? Deixo uma caixa de livros úteis? E bilhetes fofos e apoio moral do além? Como alguma futura esposa se sentiria em relação a isso? Ela poderia precisar de um manual — ele é complicado.

Como abrir mão da vida de maneira graciosa? Você já conheceu alguém que gerenciou a própria vida do além? Nossa, isso é maluquice.

Quero agradecer-lhe por escrever um e-mail tão terno mostrando como deixar graciosamente a própria vida. Não é louco. É bonito. Ela respondeu sim à própria pergunta e guardo a lição dela para mim também. Adoro a ideia de livros, um tipo de manual, bilhetes e cartões de aniversário do além. Penso nos resultados como sua arte, seu legado de amor. Nesses momentos finais, o que ficou claro para ela é que a coisa mais importante em sua vida — a coisa que deu sentido à sua vida e também à sua morte — foram seus relacionamentos. O amor pelo marido, o amor pela enteada e o amor por seu gato. Quanto mais penso nisso, mais percebo que os relacionamentos também são a coisa mais importante na minha vida. Nesse desejo de gerenciar a morte, Kate está valorizando essas conexões e demonstrando gratidão por elas.

O que podemos aprender com Kate? Sua morte será terrível para o marido, mas um lindo funeral vai torná-la mais fácil de suportar, assim como ter o papel higiênico de sempre. Depois que minha mãe morreu, meu pai queria saber a marca do papel higiênico que ela comprava, para não ter de enfrentar nenhuma outra mudança além do necessário. Coisas aparentemente pequenas não parecem tão pequenas quando estamos sofrendo. Ser "controlador" e planejar nem sempre é algo negativo. As listas, o manual e os livros de Kate não apenas vão guiar seu marido e sua enteada mas também vão lhes dar algo dela para guardar. O psicanalista Donald Winnicott chama o ursinho de pelúcia com que deixamos nosso filho abraçado de objeto transicional. Algo para lembrá-lo de nossa presença, mesmo quando não estamos lá.

Infelizmente, Kate não sobreviveu ao câncer. Escrevi para o viúvo depois de sua morte e, embora ainda não tenha encontrado nenhum dos cartões que ela escreveu, ele descobriu uma caixa de coisas que ela lhe deixou — livros sobre lidar com a perda e bilhetes sobre o que sentia por ele. Esses presentes do além são seus objetos transicionais, e tenho certeza de que ele os valoriza e é grato por eles. Imagino que isso tudo também tenha sido um exercício transicional para Kate, para que, enquanto estivesse viva, não sentisse que estava morrendo de uma vez e que algo concreto dela ficasse depois de sua partida. Todos precisamos fazer o possível para tornar a vida mais suportável até o fim e dar sentido à morte.

Quando achamos que não temos sentido, somos tomados por sentimentos de desespero. Comparo a carta de Kate com outra que recebi:

Vejo um terapeuta uma vez por semana. Mas tenho uma sensação envergonhada e persistente de desespero. Não consigo sair dessa existência triste e fútil. Não gosto de trabalhar. Odeio a prisão dos horários dos outros, mandar e-mails inúteis, participar de reuniões sem sentido. Odeio o horário das nove às cinco, o longo caminho de ida e volta, pedir permissão para tirar licença — é só dormir, trabalhar, dormir, trabalhar. Não tenho jardim, e meus vizinhos são barulhentos. Não vou morrer de fome nem perder a casa, mas também não tenho dinheiro para viajar nas férias, jantar fora nem comprar roupas e livros. Minha família e meus amigos são maravilhosos. Estou num relacionamento com uma pessoa que me ama. Mas sou desesperadamente infeliz. Como posso dizer isso em voz alta para as pessoas próximas? Me sinto como uma criança malcriada: presa, choramingando. Não sei como viver neste mundo e ser feliz.

Um pouco de infelicidade é inevitável. Ser infeliz é uma coisa, mas não precisamos sofrer o golpe duplo de nos envergonhar da própria infelicidade. Muitos pais não suportam que os filhos fiquem infelizes e, por isso, embora não tenham a intenção de que os filhos achem que são inaceitáveis quando estão tristes, eles podem crescer acreditando que são. Se nossa tristeza não for levada a sério à medida que crescemos, ou se fomos recriminados por ela, é mais difícil aprender a conviver com ela quando somos adultos.

Sentimentos difíceis devem ser acolhidos de braços abertos, pois servem como um sinal de alerta de que precisamos dar mais sentido à vida. Sentidos que sejam relevantes para nós quando éramos mais jovens vão precisar ser revistos com a idade. É comum que algum tipo de crise ou momentos difíceis provoquem essa revisão. Há quem discorde e diga que sentimentos difíceis devem ser apaziguados. Acredito que haja um lugar para medicação, mas não como primeira escala. É importante escutar nossos sentimentos para que possamos ter motivação e realizemos as mudanças necessárias para aproveitar a vida. Frankl acreditava que, para tornar a vida digna de ser vivida, cada pessoa precisa encontrar um sentido que seja único para ela. Como descobrir o que nos traz sentido? Me lembro de uma carta que recebi de um rapaz do México.

    Estou prestes a fazer 33 anos. Moro sozinho numa casa alugada num pequeno vilarejo no México. Sou solteiro, sem filhos. Trabalho de casa por um salário que mal cobre minhas contas e dívidas. O trabalho é fácil, mas detesto.
    A última década da minha vida se resumiu apenas a sobreviver. Eu estava focado em encontrar uma forma de largar minha família tóxica e meu bairro violento. Minha saúde sofreu. Todo dia eu me sentia desesperado. Agora tenho mais tranquilidade, espaço, saúde e tempo para mim, mas ainda não me sinto em paz, e duvido que um dia vá me sentir.
    Não fiz nada de extraordinário na vida. Nunca viajei, não tenho um carro nem comprei uma casa. Não tinha como pagar a faculdade. Não tenho amigos nem vida amorosa. Leio, mas não sou um leitor "sério". Ouço música, mas não entendo nada de música. Nunca vou dominar nenhuma disciplina. Não vou ser bom em nada.
    Vejo ex-colegas de escola que nunca foram os mais inteligentes, mas parecem contentes com sua vida simples. Alguns são donos de pequenas empresas,

têm filhos, mas nenhuma aspiração. Eu me pego lembrando de quando era jovem, dos dois anos em que morei com minha avó. Nunca fui mais feliz do que naquela época. Eu me sentia seguro e amado, e todo dia era uma aventura. Quero me sentir mais vivo. Sentir que minha vida tem sentido. Não gosto de ter chegado aos 33 anos de mãos vazias.

Parece que esse homem se habituou a altos níveis de estresse interno durante a maior parte da infância. Quando a fonte de estresse deixa de existir, isso pode criar desconforto, tédio e uma sensação de ausência de sentido. O que ele está vivendo é compreensível e normal. Quando paramos para respirar, um buraco pode surgir. Vamos chamar esse buraco de vazio existencial e, para muitos, ele pode causar uma sensação de pânico. Não nos permitimos sentir nem o menor grau de desconforto que acompanha esse vazio existencial, então começamos a mexer em celulares, ligamos a TV, abrimos o laptop e voltamos ao trabalho. Mas, em vez de ter medo, aconselho você a acolher essa sensação de braços abertos. Ao fazermos isso, se simplesmente nos sentarmos com ela, uma ideia pode vir a nossa mente, algo que gostaríamos de ler ou fazer, ou pessoas que desejaríamos ver.

> **SABEDORIA DO DIA A DIA**
>
> Um vazio existencial é um pouco como ter saído de um ônibus, esperar o próximo e não saber se ele vai chegar nem aonde vai. Não entre em pânico; mais cedo ou mais tarde, um ônibus sempre aparece.

Pode ser imensamente produtivo nos permitir sentir esse tipo de vazio, mas, em vez de preenchê-lo com gratificação instantânea (que raramente é gratificante no longo prazo), se dê a chance de ter novos pensamentos, criar coisas ou fortalecer suas relações com os outros. Gostaria de fazer um pouco de jardinagem metafórica — mantenha esse vazio existencial sem ervas daninhas, mas veja o que brota nele. Encare isso como um novo pedaço de terra onde você pode cultivar algo novo. E, se plantar alguma coisa e não vingar, tudo bem, plante outra. Para descobrir quem somos e do que precisamos — uma tarefa para a vida toda —, temos total permissão de experimentar.

Não precisamos justificar nossa existência rodando o mundo resolvendo problemas. Somos bons o bastante em simplesmente ser. Alguns de nós acham difícil nos valorizar além das nossas conquistas e ações, ainda mais se foi isso que nos diziam ser importante quando estávamos crescendo. Podemos estar acostumados com o caminho rápido e equiparamos tranquilidade e estagnação à falta de valor. Ou talvez, sem adrenalina, soframos para nos sentir plenamente vivos. Viciados em adrenalina costumam se sentir desestimulados quando são tirados do seu ritmo, mas, quando aprendem a perceber como é respirar, tocar, sentir gostos e cheiros, eles vão entendendo devagar que não precisam viver no limite para viver. Talvez mais pessoas estivessem numa situação semelhante aos amigos de escola desse homem — contentes com uma pequena empresa e vivendo para passar adiante o amor que receberam na infância — se o amor de avó fosse o único tipo de cuidado que recebessem.

"Entre trabalhar e dormir vem a hora que chamamos de nossa. O que fazemos com ela?", pergunta Laurie Lee no começo do filme *Spare Time*, de 1939, dirigido por Humphrey Jennings. A variedade de atividades que realizamos é imensa. Colecionamos tudo, desde vidro veneziano a listas de compras antigas; aprendemos coisas diversas, como nado crawl ou caligrafia chinesa. Tricotamos, pescamos, fazemos trilhas, teatro amador, e praticamos até nos aprimorar. É bom para nós nos dedicar a algo e aprender coisas novas. Faz com que estejamos mais sintonizados com nosso corpo, mais envolvidos com nossa mente e mais conectados com o mundo. E acredito que a coisa mais importante que adquirimos com essas coisas que amamos fazer, mas não precisamos fazer, seja propósito e sentido. É mais difícil ficar deprimido quando você sente que tem essas duas coisas na vida.

A partir de 1938, o estudo longitudinal de Harvard começou a acompanhar a saúde de 268 estudantes da universidade, dezenove dos quais ainda estão vivos no momento em que escrevo, para descobrir de quais componentes precisamos na vida para ser saudáveis e contentes. O estudo já acompanha os indivíduos há 85 anos e foi estendido para incluir os filhos dos estudantes originais. Agora são 1300 indivíduos estudados, a maioria na casa dos sessenta e setenta anos. Foi reunida uma abundância de dados sobre saúde física e mental, e uma das coisas que ficaram claras é que pessoas satisfeitas e contentes em seus relacionamentos também são consideravelmente mais saudáveis. Envolver-se na comunidade nos ajuda a viver mais e encontrar contentamento. Embora cuidar do corpo seja importante, cuidar dos relacionamentos é uma forma igualmente vital de autocuidado. Todos vivemos fracassos em relacionamentos ao longo da vida. É importante não nos julgar nem nos condenar por isso, mas aprender e tentar de novo.

A mídia e as empresas de publicidade nos vendem uma farsa, tentando nos fazer uma lavagem cerebral que nos convença de que o sucesso na carreira e o acúmulo de coisas e dinheiro são o sentido da felicidade. Eu me pego pensando, às vezes, *se ao menos eu tivesse a ilha de cozinha perfeita*... embora eu saiba que não é uma cozinha moderna que nos faz ou deixa de nos fazer felizes: o que importa são as pessoas na cozinha. É em ter relacionamentos bons e melhores com a família e os amigos que precisamos nos concentrar. E falei para nosso amigo no México que ele precisa encontrar e fazer parte de uma comunidade.

Epílogo

Vou admitir uma coisa: o título deste livro é uma pegadinha. Sim, este é o livro que você gostaria que todas as pessoas que você ama lessem porque relacionamentos não se constroem apenas com uma pessoa. São necessárias duas para se conectar e conversar. Não nos adaptamos sozinhos, e precisamos estar preparados para sermos afetados pelas pessoas que amamos (e por aquelas que não amamos). Por outro lado, quando mudamos e nos movimentamos, isso tem um impacto nos outros e, quando ficamos mais contentes, aqueles que amamos também tendem a ficar. Nossa relação com nós mesmos afeta nossos relacionamentos com os demais. Mas não podemos fazer nada pelos outros. Embora possamos causar um impacto neles e o impacto mútuo seja essencial para crescer, em última análise as outras pessoas são responsáveis por seus próprios comportamentos e escolhas. A única pessoa sobre quem temos o poder real de trabalhar somos nós mesmos. É *você* que eu queria que lesse este livro.

Embora não tenhamos controle sobre todas as circunstâncias da vida — não temos como escolher a família em que nascemos nem se alguém próximo a nós nos abandona ou morre, ou se acontece um terremoto —, sempre temos poder sobre nossa relação com nós mesmos. Isso significa que temos poder sobre como cuidamos do nosso corpo, e temos poder sobre nosso diálogo interno. Fazemos escolhas sobre como nos comportamos em relação aos outros, fazemos escolhas sobre como reagimos no momento ou como refletimos e respondemos.

Neste livro, escrevi sobre a importância dos relacionamentos e as dificuldades que os acompanham. Nenhum relacionamento é fácil — e não estou falando apenas de relacionamentos românticos, porque qualquer relação autêntica vai se deparar com diferenças com as quais vocês vão ter de lidar. Por mais difíceis que sejam as relações, porém, todos precisamos delas. Precisamos de outras pessoas para serem nossos espelhos humanos e refletir como elas nos veem, o que ajuda nosso senso de identidade. Talvez suas opiniões sobre as pessoas de quem achava não gostar tanto quando abriu este livro tenham mudado à medida que pensava mais sobre as formas de existir no mundo. Às vezes, as outras pessoas são irritantes e horríveis e, às vezes, estão apenas encarando a vida de uma forma diferente de nós. Se não aprendermos a lidar com as diferenças, vamos passar o tempo todo brigando ou desmoronar e perder nosso senso de identidade, consumidos pelo que os outros querem de nós. A mudança é inevitável — espero que o capítulo sobre ela o tenha preparado para quando ela surgir. E, embora não tenhamos como ser felizes o tempo todo, se nos permitirmos sentir e acolher nossas emoções, espero que haja um pouco de contentamento na vida para todos nós.

Está na moda agora encontrar uma caixa na qual pôr seus sentimentos — "Tenho um estilo de apego tal e tal" ou "A ferida da minha criança interior é xyz" —, e o perigo disso é que as pessoas estão destrinchando seus sentimentos em antecipação. Esses clichês se tornam parte da sua identidade e encerram a discussão. As pessoas não estão melhorando ao exigir uma definição instantânea antes de parar para se entenderem propriamente. Estamos todos no espectro de nos entender, de entender os outros e de entender o mundo — e nos pôr nessas caixinhas é altamente prejudicial. Às vezes, um diagnóstico ajuda; outras, porém, passa a ser um exercício autolimitante. Você deve ter notado que, neste livro, não recorro a diagnósticos, e acho importante que você também evite se diagnosticar ao fim dele.

Tornar-se mais autoconsciente e mais bem preparado para lidar com a vida não significa passar todas as horas do dia em introspecção. É assumir a responsabilidade pela nossa parte em como nos fazemos nos sentir e como impactamos os outros. Claro, ponha sua máscara de oxigênio primeiro. Contudo, não é porque isso deve ser feito que estamos impedidos de ouvir e entender outras experiências e pontos de vista. Se sua introspecção estiver causando mais paranoia, julgamentos e isolamento, ela está sendo prejudicial. Se sua autorreflexão estiver causando melhores conexões, uma comunicação melhor e uma vida mais calma e mais interessante, e o deixando mais próximo dos outros, espero que siga em frente. Fazer esse autotrabalho é importante. Não é egoísta nem autoindulgente: ajuda você a se livrar de todas as barreiras que o impedem de se conectar com as pessoas.

Somos um trabalho em andamento. Nunca estamos "finalizados", e é útil olhar para diferentes teorias e ver o que podemos aplicar a nós mesmos em determinado momento. Algumas das teorias neste livro serão úteis e farão sentido para você: vão dizer coisas que, no fundo, você sempre soube, mas não tinha expressado em palavras. Para outras, porém, talvez você ainda não esteja pronto. Ou elas podem nunca vir a funcionar no seu caso, e tudo bem.

Não estou prometendo que terminar este livro vá "mudar a sua vida". Isso é algo que eu queria deixar muito claro desde o começo. Minha esperança é que parte dele se revele útil, mas só se você criar o hábito de praticar novas formas de comportamento e comunicação. Espero tê-lo encorajado a olhar para seus sistemas de crenças e respostas à vida e ajudado a decidir o que deseja manter — espero que mais aspectos que venham de você mesmo —, e que este livro tenha dado algumas ideias sobre quais hábitos novos podem ser úteis. Eu, particularmente, estou trabalhando em aceitação e em aceitar os meus limites. Peço compreensão para que você também aceite os meus limites.

Quando estava escrevendo o epílogo de *O livro que você gostaria que seus pais tivessem lido*, eu tinha uma forte mensagem que estava desesperada para transmitir pelo bem da humanidade. A única mensagem que quero transmitir agora é que você perdoe seus erros e os dos outros. E, se eu não tiver abordado uma pergunta importante sua, me escreva. Farei o possível para responder, seja em minha coluna ou em outro livro.

Agradecimentos

Tenho muitos agradecimentos a fazer. Da Cornerstone Press, devo agradecer a Anna Argenio e Venetia Butterfield, sem as quais este livro talvez nunca tivesse existido. Amo essas editoras por sua generosidade e simpatia, e pelo fato de sempre dizerem o que pensam e confiarem em mim quando minha falta de confiança teria testado a paciência de santos. A minhas agentes Karolina Sutton, por me conseguir um excelente negócio, e a Alice Lutyens e Stephanie Thwaites, por cuidarem de tudo.

Obrigada a minha amada filha, que sempre é uma primeira leitora generosa, e a outra de minhas primeiras leitoras, Julianne Appel Opper — querida colega de psicoterapia que compartilhou gentilmente algumas de suas ideias que acabaram entrando neste livro. Obrigada a James Albrecht e Alex Fane por organizarem minha turnê literária digna de uma estrela do rock. À professora Jane Shaw e à reverenda dra. Claire McDonald, por convencerem a vice-reitora da Universidade de Oxford a me convidar para proferir o Sermão do Pecado do Orgulho, partes do qual estão neste livro.

Um profundo agradecimento a minha querida amiga Natalie Haynes, que sugeriu uma leve mudança no título original. E amor e gratidão a: Yolanda Vazquez, Jonny Phillips, Eilidh Brooker, Richard Ansett, Janet Lee, Suzanne Moore, Lorna Gradden, Richard Coles, Helen Bagnall e a todos os meus amigos: seu amor e estímulo significam tudo para mim.

A meus colegas do *The Observer* — Harriet Green, Steve Chamberlin e Martin Love —, que me editam lindamente toda semana. E a todas as pessoas adoráveis que têm a coragem de ser vulneráveis a ponto de me contarem seus problemas, os quais me ajudam enormemente a pensar na vida e como cuidar dela.

Por fim, devo um agradecimento ao meu queridíssimo marido, Grayson, por seu amor e apoio.

Philippa Perry

Índice remissivo

abuso: controle coercitivo, 56-8; sexual, 48, 159, 165
agradar aos outros, 91-3
Alderman, Naomi, 34
ambiente de trabalho: comunicação, 91-4; estresse, 149; realização profissional, 170-1
amizades, 19, 25, 31-4, 66-7, 94-7; melhores amigos, 33-4
amor, 15-58, 178, 183
anseio, 29-30, 40, 42
ansiedade, 143-9; estratégias de enfrentamento, 146-9
apego evitativo, estilo de, 28-31
apego inseguro, estilo de, 29-31
apego seguro, estilo de, 30-1
Aristófanes, 43
arrependimento, 100-2, 156-7
Austen, Jane, 40
"Autobiography in Five Chapters, An" (Nelson), 121
autoconsciência, 10-1, 53-8, 105, 167, 189
autocrítica, 149-56, 162
autoestima, 35-6, 111

bebês/nascimento, 15, 19-20, 124-5, 136-7
bode expiatório, 155-63

casamento, 45-7
casos extraconjugais, 97-9
cérebro, 143, 157-8, 165; animal, 88-9; racional, 88-9
Como manter a mente sã (Perry), 140-1
companheirismo, 47
comparação, 153-5
comportamento maníaco, 17-8
comprometimento, 28-30, 36-40, 42
compromisso, 45, 74-5, 82
comunicação, 91-4
comunidade, 184-5
conexão *ver* relacionamentos
confiança, 133-4
confiança/desconfiança, 24, 48-9, 51, 56, 97; recuperar, 97-102
conflito, 59-103; culpar os outros, 47-9, 64-8; evitação de conflitos, 82-7; fatos vs. sentimentos, 74-7; formas dominantes de enfrentamento, 60-4; impulso, 87-90; mocinho vs. vilão, 68-74; raiva, 83-7; triângulo do drama de Karpman, 77-81
contentamento, 142, 173-4, 184-5
controle coercitivo, 56-8
conversa, 21-2
corpo guarda as marcas, O (Van der Kolk), 167
crenças, sistemas de, 10, 16, 26, 105, 108-9, 149, 156

crítico interior *ver* autocrítica
culpa, 55-7, 88-90, 96, 152; culpa neurótica, 152; culpa útil, 152
culpar os outros, 47-9, 64-8
cultura, 50, 149

"diafobia", 51
diálogo interno, 188
dinâmica de grupo, 18-20
dismorfia corporal, 159-63
dissociação, 143-4, 164-6
distanciamento, 100-2
doença, enfrentar, 61-4
dono da verdade, 68-70
dopamina, 17, 120

Em busca de sentido (Frankl), 175
EMDR — *eye movement desensitization and reprocessing* [dessensibilização e reprocessamento através do movimento dos olhos], 165
emoções *ver* sentimentos
empatia, 62-4
entrega, 47-53, 56
envelhecimento, 130-6, 173-4
epilepsia, 157
estresse, estratégias de enfrentamento, 143-9
expectativas, 113-4

familiaridade, 27-8, 30
fantasia, 12, 25-7, 162
fatos, 60, 77; fatos vs. opiniões, 158-9; fatos vs. sentimentos, 74-7; tênis de fatos, 75-6
felicidade *ver* realização
filosofia existencialista, 176, 182-3
fofoca, 119-21
Força de Vontade, subpersonalidade de, 173-5
Foreman, Ed, 109
Frankl, Viktor, 108, 112, 175-6, 181

Franklin, Benjamin, 140
frases com "eu"/"você", 79, 92-4, 120-1

Gestalt (escola de terapia), 139
Gottman Institute, 46

Harvard, estudo longitudinal de, 184
Heawood, Sophie, 34
homens, 67, 80; envelhecimento, 133
Hungover Games, The [Jogos de ressaca] (Heawood), 34

impontualidade, 117-8
impor limites, 55-7, 82
impulso, 87-90
independência, 15
infância, 50, 53, 63, 84-5, 88-9; trauma, 163-5; *ver também* bebês/nascimento
infelicidade, 180
insatisfação, 156-8
inveja, 153-4
irmãos, 70, 154
isolamento, 23-4

Jeffers, Susan, 12
Jennings, Humphrey, 183
julgamentos, 12, 52-3, 79-80

Karpman, triângulo do drama de, 77-81

Laing, R. D., 51
Lee, Laurie, 183
lógica, 75
Longworth, Alice Roosevelt, 120
luto *ver* perda
luto, 125-9, 136-40

mecanismos de enfrentamento: enfrentar ansiedade, 146-9; enfrentar doença, 60-4; enfrentar estresse,

143-9; estilos de enfrentamento (pensar, sentir, fazer), 60-4; formas dominantes de enfrentamento, 60-4
medo, 24, 110, 116-7
Menuhin, Yehudi, 174
Mischel, Walter, 166-7
misoginia, 67-8
morte, 125, 136-40, 175-9; *ver também* luto
mudança, 10-1, 104, 111-23, 188; mudança de direção, 115-7; mudança de hábitos, 117-23
mulheres, 66-7, 80, 93, 172; abuso, 48, 56-8; atenção masculina indesejada, 133-4; imagem corporal, 131-4

narcisismo, 50-3
Nelson, Portia, 121
Nietzsche, Friedrich, 176

obsessão, 40-3, 126, 167
orgulho, 48-53

padrões de comportamento, 109
pais, 53, 63, 123, 125, 180; relação com os, 67
pandemia da covid, 145-6
pânico, 143-4
pensamentos invasivos, 156, 162
perda, 123-31
perdão, 87-90, 97-100
Perls, Fritz e Laura, 139
Persuasão (Austen), 40
preocupação, 37, 90, 130, 137-8, 140, 143, 145, 157
preso no passado, 105-11

racismo, 69-71
raiva, 83-7
realização, 142, 169-75
Rebelde Interior, subpersonalidade, 173-5

referenciamento interno e externo, 169-71
relacionamentos, 15-58, 188; casamento, 45-7; como os laços se formam, 27-31; conexões excessivas, 17-8; estilo de apego evitativo, 28-31; estilo de apego inseguro, 29-31; estilo de apego seguro, 30-1; familiares e, 71-3; relacionamentos longos, 34-7, 53-7; relacionamentos seguros, 43-7; término, 94-7, 123-6
relacionamentos longos, 34-7, 53-7; sites e aplicativos de relacionamento, 35-7; términos, 94-7, 123-6
respiração, exercícios, 105, 146

sanidade, 140
Schwartz, Barry, 36-7
senso de identidade *ver* autoconsciência
sentido, 175-84
sentido, ausência de, 176, 182
sentimentos, 60-3, 72-7, 81, 84-7, 99, 114, 128-9, 139, 147-8, 162, 188-9; "processar sentimentos", 84-6
Sermão do Pecado do Orgulho, Universidade de Oxford, 49-50, 191
sexo, 43-7, 65; abuso sexual, 48, 159, 165; frequência sexual, 44-5
síndrome do impostor, 93
sites e aplicativos de relacionamento, 35-6
sociedade, 69-70, 141
solidão, 23-4
sonhos, 114
sorte, 107-8
Spare Time (filme), 183
Sperry, Roger, 157
suicídio, 168-9

tecnologia, 134-5
términos, 94-7, 123-6

195

Thatcher, Margaret, 70
tomada de decisão, 36-9, 115; maximizadores, 37; satisficientes, 37
traição, 97-9
transtorno de estresse pós-traumático (TEPT), 98
transtorno do processamento auditivo, 49
trauma, 145, 163-9; transtorno do estresse pós-traumático, 98; trauma na infância, 144, 163-5

tudo ou nada, pensamento de, 25

Universidade de Oxford, 49-50

Van der Kolk, Bessel, 167
vendedores, 116
vergonha, 52-3, 88
vício, 41-2
vítima, mentalidade de, 77-80, 108

Winnicott, Donald, 15, 179

TIPOGRAFIA Adriane por Marconi Lima
DIAGRAMAÇÃO Osmane Garcia Filho
PAPEL Pólen Natural, Suzano S.A.
IMPRESSÃO Lis Gráfica, janeiro de 2024

A marca FSC® é a garantia de que a madeira utilizada na fabricação do papel deste livro provém de florestas que foram gerenciadas de maneira ambientalmente correta, socialmente justa e economicamente viável, além de outras fontes de origem controlada.